A-Z Street Atlas of DARTFORD GRAV

CN00671314

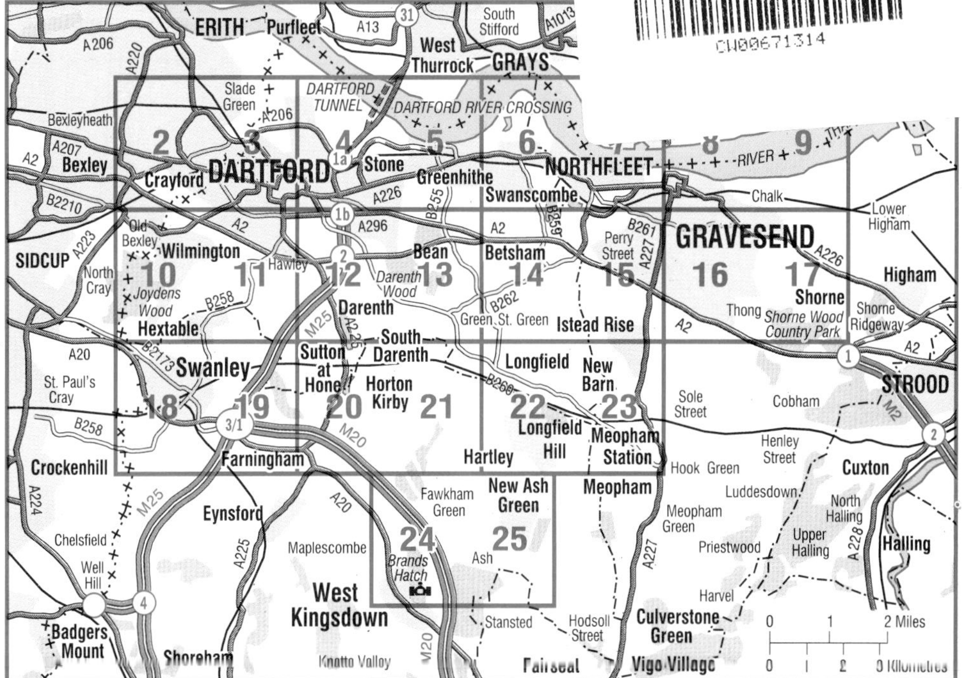

ERITH
Purfleet
A13
31
South Stifford
A1013
West Thurrock
GRAYS
A206
A220
Slade Green
A206
DARTFORD TUNNEL
DARTFORD RIVER CROSSING
Bexleyheath
A207
A2
Bexley
2
3
Crayford
DARTFORD
4
1a
Stone
5
Greenhithe
6
NORTHFLEET
7
8
RIVER
9
B2210
A226
B255
Swanscombe
B259
Chalk
Lower Higham
1b
A296
A2
B261
Perry Street
A227
GRAVESEND
A226
SIDCUP
A223
Old Bexley
Wilmington
2
Bean
Betsham
North Cray
10
11
Hawley
12
Darenth Wood
13
14
15
16
17
Higham
Joydens Wood
B258
Darenth
B262
Shorne
Thong
Shorne Wood Country Park
Shorne Ridgeway
Hextable
M25
A225
Green St. Green
Istead Rise
A2
A20
B2173
South Darenth
Sutton at Hone
Longfield
New Barn
A2
1
St. Paul's Cray
Swanley
Horton Kirby
B260
STROOD
Sole Street
Cobham
18
19
20
21
22
23
M2
B258
3/1
M20
Longfield Hill
Meopham Station
Henley Street
2
Crockenhill
Farningham
Hartley
Hook Green
Cuxton
A224
M25
A20
Fawkham Green
New Ash Green
Meopham
Luddesdown
North Halling
Eynsford
Meopham Green
Upper Halling
Chelsfield
24
25
A228
Halling
Maplescombe
A225
Priestwood
Brands Hatch
Ash
A227
Well Hill
West Kingsdown
Harvel
4
Stansted
Hodsoll Street
Culverstone Green
0
1
2 Miles
Badgers Mount
M20
Shoreham
Knatts Valley
Fairseat
Vigo Village
0
1
2
3 Kilometres

Reference

Motorway	M23
A Road	A23
Under Construction	
Proposed	
B Road	B2028
Dual Carriageway	
One Way A Roads Traffic flow is indicated by a heavy line on the Drivers left.	
Pedestrianized Road	
Restricted Access	
Track	
Footpath	
Residential Walkway	
Railway	Level Crossing / Station
Built Up Area	CECIL PL.
County Boundary	
District Boundary	
Posttown Boundary By arrangement with the Post Office	
Postcode Boundary Within Posttown	
Map Continuation	10
Church or Chapel	†
Fire Station	■
Hospital	H
House Numbers A & B Roads only	246 / 213
Information Centre	i
National Grid Reference	525
Police Station	▲
Post Office	★
Toilet With Facilities for the Disabled	

Scale 1:19,000
3.33 inches to 1 mile

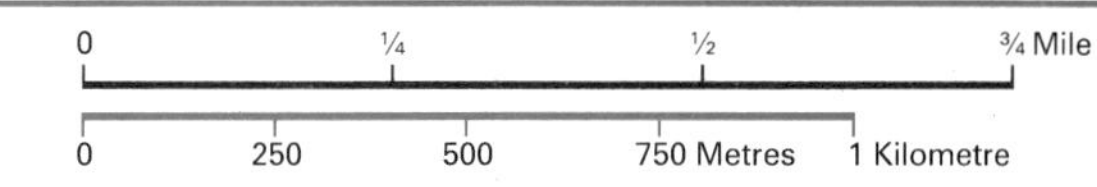

0
¼
½
¾ Mile
0
250
500
750 Metres
1 Kilometre

Geographers' A-Z Map Co. Ltd.

Head Office : Fairfield Road, Borough Green, Sevenoaks, Kent TN15 8PP Telephone 01732 781000

Showrooms : 44 Gray's Inn Road, Holborn, London WC1X 8HX Telephone 0171-242-9246

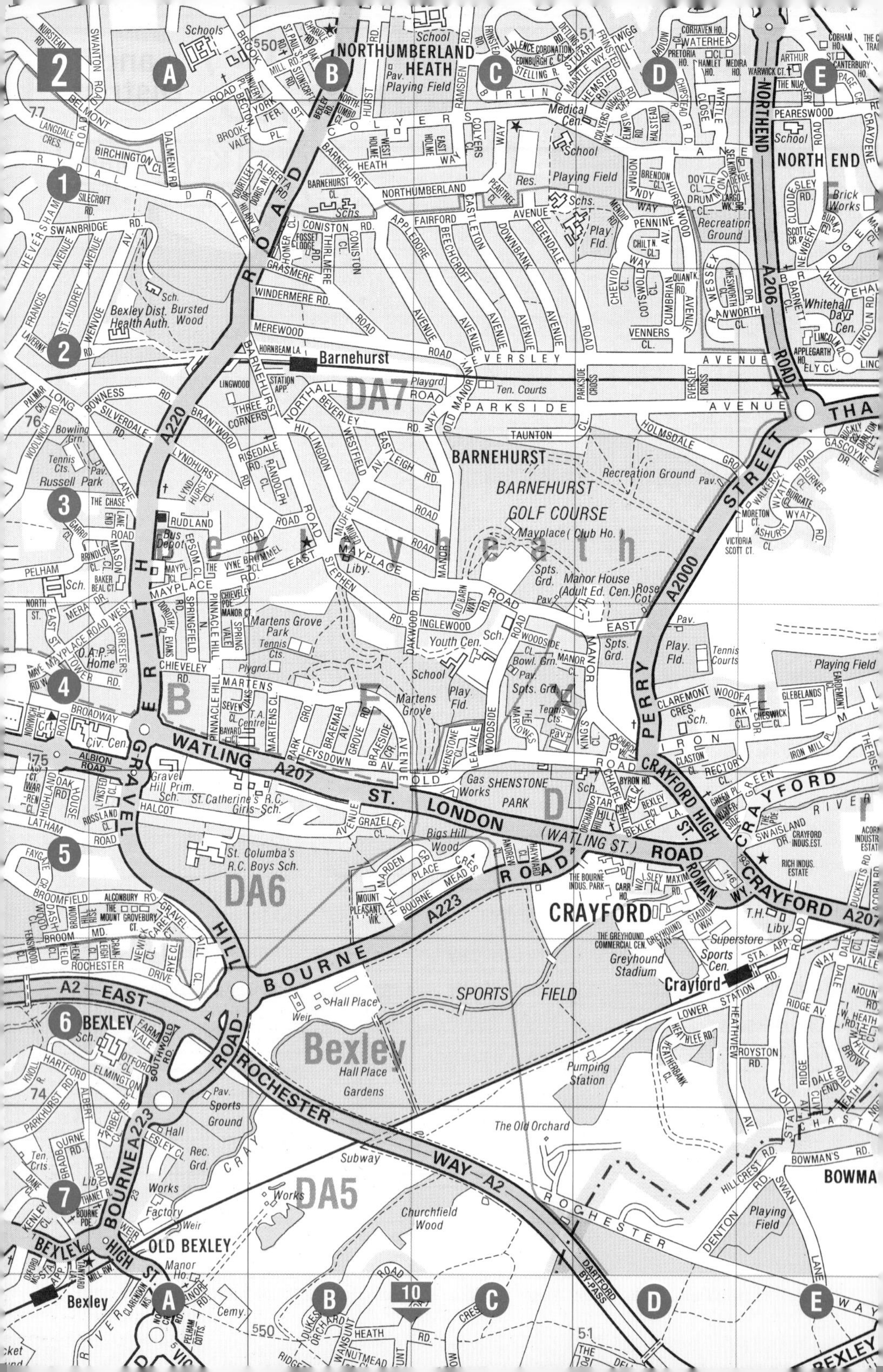
2
NORTHUMBERLAND HEATH
NORTH END
BARNEHURST
Barnehurst
Bexleyheath
CRAYFORD
Crayford
Bexley
OLD BEXLEY
BEXLEY
BOWMA
DA7
DA6
DA5
A B C D E
1 2 3 4 5 6 7
10
550
51
77
76
75
74
Schools
School
Pav.
Playing Field
Medical Cen.
Res.
Schs.
Play. Fld.
Recreation Ground
Brick Works
Whitehall Day Cen.
Bexley Dist. Health Auth.
Bursted Wood
Bowling Grn.
Tennis Cts.
Russell Park
Ten. Courts
Playgrd.
BARNEHURST GOLF COURSE
Mayplace (Club Ho.)
Manor House (Adult Ed. Cen.)
Rose Cot.
Spts. Grd.
Martens Grove Park
Martens Grove
Youth Cen.
Bowl. Grn.
Liby.
Civ. Cen.
O.A.P. Home
Bus Depot
T.A. Centre
Gravel Hill Prim. Sch.
St. Catherine's R.C. Girls Sch.
St. Columba's R.C. Boys Sch.
Gas Works
SHENSTONE PARK
Bigs Hill Wood
THE BOURNE INDUS. PARK
THE GREYHOUND COMMERCIAL CEN.
Greyhound Stadium
Superstore
Sports Cen.
CRAYFORD INDUS. EST.
RICH INDUS. ESTATE
SPORTS FIELD
Hall Place
Hall Place Gardens
Weir
Pumping Station
The Old Orchard
Subway
Works
Factory
Churchfield Wood
Sports Ground
Rec. Grd.
Manor Ho.
Cemy.
Playing Field
NORTHEND ROAD A206
BARNEHURST ROAD A220
BROADWAY
WATLING ST. A207
LONDON ROAD (WATLING ST.)
CRAYFORD HIGH ST.
CRAYFORD ROAD A207
PERRY STREET A2000
BOURNE ROAD A223
GRAVEL HILL
BOURNE ROAD A223
A2 EAST ROCHESTER WAY A2
DARTFORD BY-PASS
ROCHESTER DRIVE
ROCHESTER ROAD
HIGH ST.
COLYERS LANE
NORTHUMBERLAND AVENUE
EVERSLEY AVENUE
PARKSIDE AVENUE
RYDAL DRIVE
MAYPLACE ROAD EAST
MAYPLACE ROAD WEST
IRON MILL LANE
LOWER STATION RD.
BELMONT ROAD
BIRLING ROAD
WINDERMERE RD.
MEREWOOD
GRASMERE
CONISTON RD.
THIRLMERE
FAIRFORD AVENUE
APPLEDORE AVENUE
BEECHCROFT AVENUE
CASTLETON AVENUE
DOWNBANK AVENUE
EDENDALE ROAD
MENDIP
PENNINE WAY
CHEVIOT WAY
COTSWOLD
CUMBRIAN AVENUE
HURSTWOOD
WESSEX
RANWORTH CL.
HOLMSDALE GRO.
TAUNTON CL.
NORTHALL ROAD
HILLINGDON ROAD
WESTFIELD
EAST LEIGH
BEVERLEY RD.
OLD MANOR WAY
LYNDHURST
BRANTWOOD
SILVERDALE RD.
BOWNESS RD.
LONG LANE
WOOLWICH RD.
THE CHASE
PELHAM
MERA DR.
NORTH ST.
DOROTHY EVANS
SPRINGFIELD
PINNACLE HILL
CHIEVELEY
MARTENS
BRAEMAR AV.
BRAESIDE
LEYSDOWN AV.
GRAZELEY
INGLEWOOD
OAKWOOD DR.
WOODSIDE
MANOR ROAD
CLAREMONT CRES.
WOODFALL
GLEBELANDS
BYRON HO.
BEXLEY LA.
ROMAN WY.
STADIUM WAY
GREYHOUND WAY
SWAISLAND DR.
DUCKETTS RD.
STA. APP.
RIDGE AV.
ROYSTON RD.
DENTON RD.
HILLCREST RD.
SWAN LANE
BOWMAN'S RD.
HALCOT
LATHAM ROAD
BROOMFIELD
ALCONBURY
BROOM MD.
ROCHESTER DRIVE
FARM VALE
SOUTHWOLD RD.
HARTFORD RD.
ELMINGTON CL.
PARKHURST RD.
BRADBOURNE RD.
THANET R.
BOURNE PDE.
KENLEY CL.
HEATH RD.
NUTMEAD
DUKES ORCHARD
WANSUNT

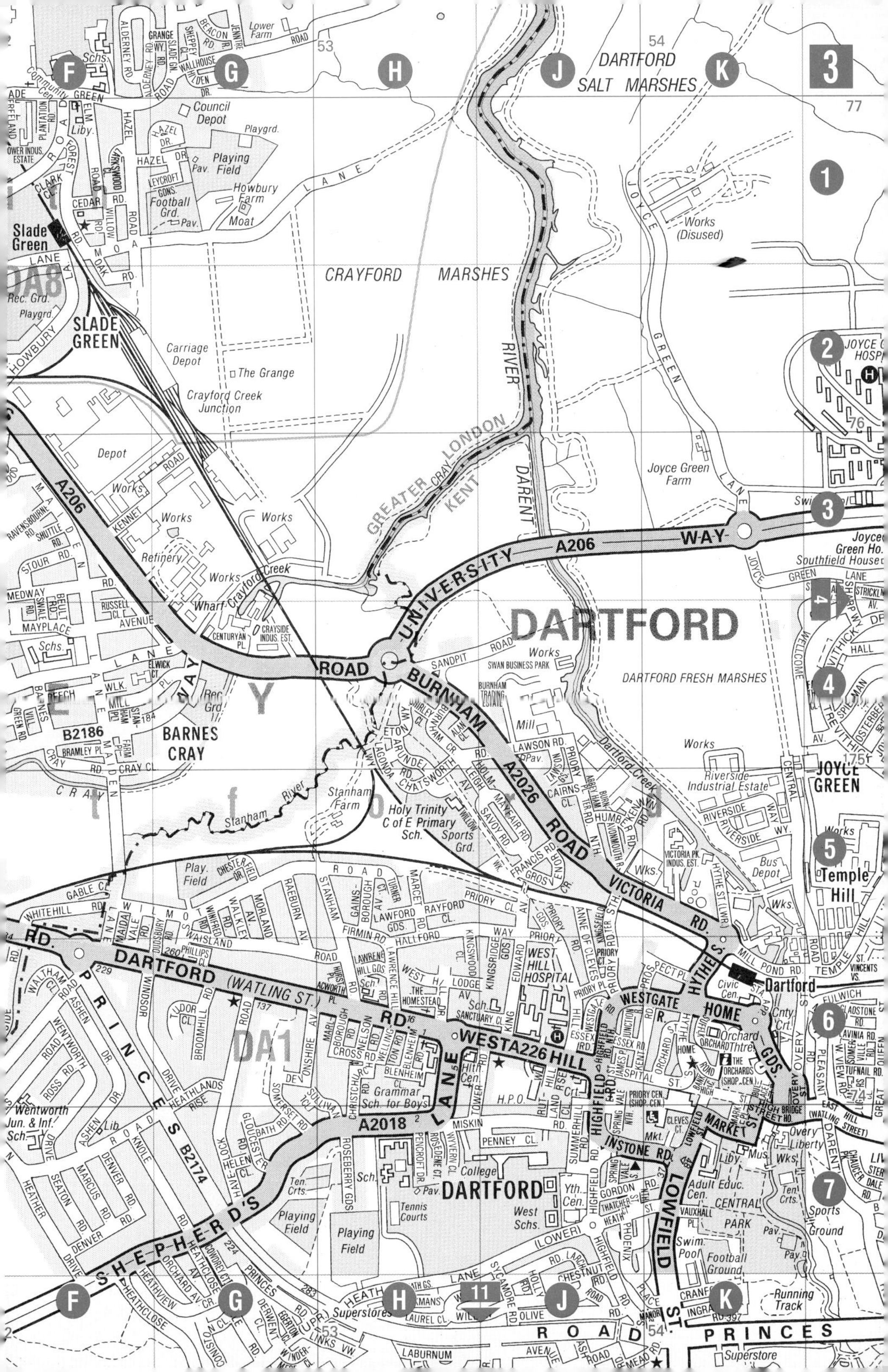
3
DARTFORD SALT MARSHES
CRAYFORD MARSHES
DARTFORD FRESH MARSHES
DARTFORD
SLADE GREEN
Slade Green
BARNES CRAY
JOYCE GREEN
Temple Hill
DA8
DA1
Lower Farm
Council Depot
Playgrd.
Playing Field
Howbury Farm
Moat
Football Grd.
Pav.
Liby.
Community Cen.
Schs.
Rec. Grd.
Carriage Depot
The Grange
Crayford Creek Junction
Depot
Works
Refinery
Wharf
Crayford Creek
CRAYSIDE INDUS. EST.
Works (Disused)
Joyce Green Farm
JOYCE GREEN HOSP.
Joyce Green Ho.
Southfield House
SWAN BUSINESS PARK
BURNHAM TRADING ESTATE
Mill
Riverside Industrial Estate
VICTORIA PK. INDUS. EST.
Bus Depot
Stanham Farm
Holy Trinity C of E Primary Sch.
Sports Grd.
Play. Field
WEST HILL HOSPITAL
Civic Cen.
Dartford
Orchard Thtre.
THE ORCHARDS (SHOP. CEN.)
PRIORY CEN. (SHOP. CEN.)
Mkt.
Cnty. Crt.
Overy Liberty
Adult Educ. Cen.
CENTRAL PARK
Swim. Pool
Football Ground
Running Track
Sports Ground
Grammar Sch. for Boys
College
Tennis Courts
West Schs.
Yth. Cen.
Playing Field
Wentworth Jun. & Inf. Sch.
Superstores
Superstore
RIVER DARENT
GREATER LONDON
KENT
Stanham River
A206
UNIVERSITY WAY
ROAD
BURNHAM ROAD
A2026
VICTORIA RD.
DARTFORD (WATLING ST.) RD.
WEST HILL
A226
A2018
LANE
SHEPHERD'S LANE
PRINCES B2174
PRINCES ROAD
LOWFIELD ST.
HYTHE ST.
HOME GDS.
WESTGATE RD.
HIGHFIELD RD.
INSTONE RD.
MARKET ST.
HIGH STREET
EAST HILL (WATLING STREET)
JOYCE GREEN LANE
TEMPLE HILL
MAIDEN LANE
MAYPLACE AVENUE
B2186
CRAYFORD ROAD
MOAT LANE
HOWBURY LANE
WILMOT RD.
WAISLAND
BROOMHILL RD.
WINDSOR RD.
KNOLE ROAD
DENVER RD.
MARCUS RD.
SEATON RD.
HEATHER DRIVE
ROSS RD.
WENTWORTH DR.
ASHEN DRIVE
MISKIN
PENNEY CL.
SUMMERHILL RD.
LAWSON RD.
PRIORY RD.
HUMBER RD.
CAIRNS CL.
RIVERSIDE WAY
MILL POND RD.
FULWICH RD.
OVERY ST.
PLEASANT VIEW
DARENT
TRAVERS
53
54
76
77
11
4
F
G
H
J
K
1
2
3
5
6
7

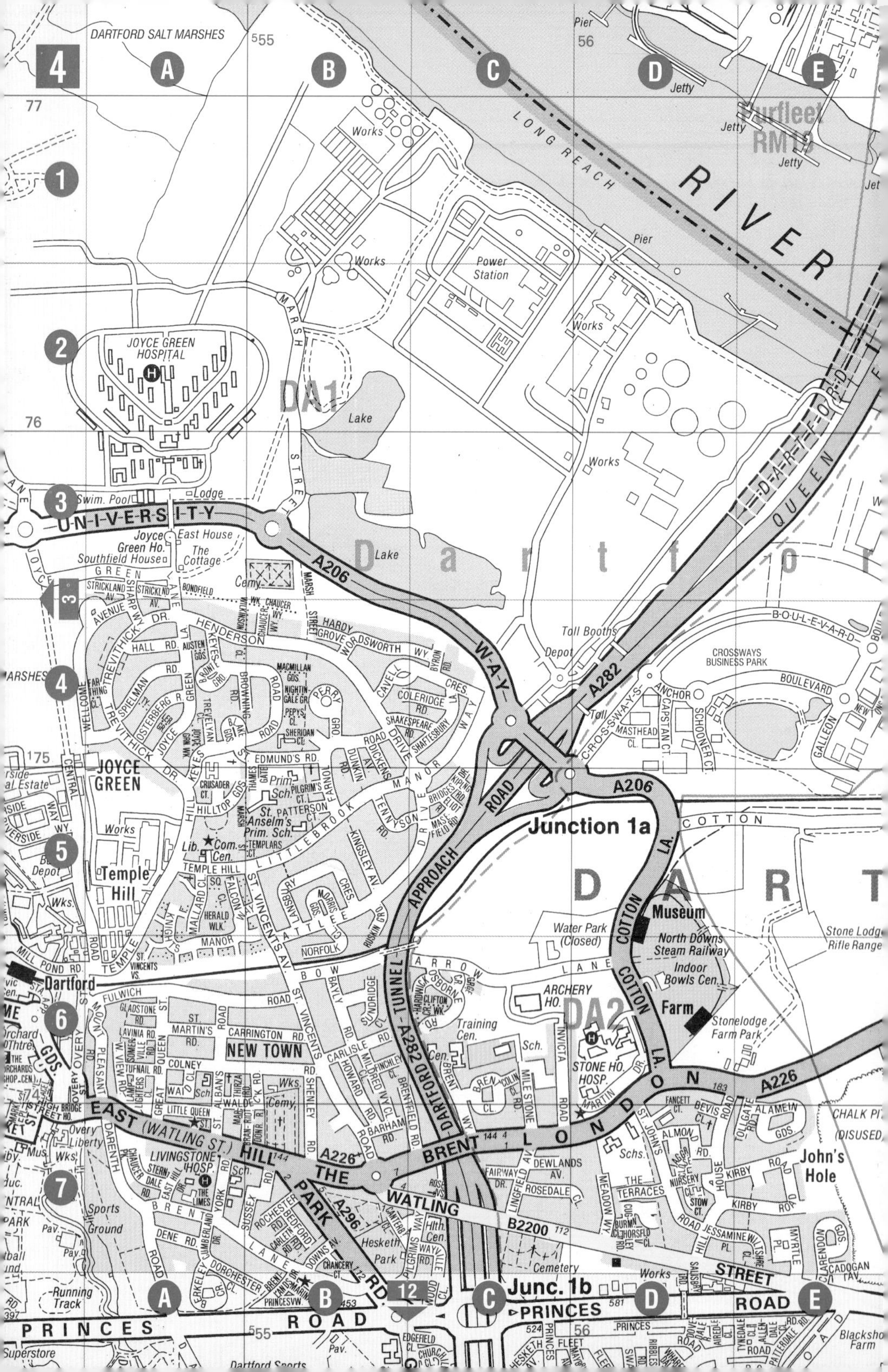

4
DARTFORD SALT MARSHES
Works
LONG REACH
RIVER
Jetty
Purfleet
RM19
Pier
Power Station
Works
JOYCE GREEN HOSPITAL
DA1
Lake
MARSH STREET
Swim. Pool
Lodge
UNIVERSITY
Joyce Green Ho.
East House
The Cottage
Southfield House
A206
Dartford
Cemy.
WAY
Toll Booths
Depot
A282
QUEEN
DARTFORD
BOULEVARD
CROSSWAYS BUSINESS PARK
CROSSWAYS
ANCHOR
Toll
JOYCE GREEN
Temple Hill
Works
Junction 1a
APPROACH ROAD
COTTON LA.
Museum
North Downs Steam Railway
Water Park (Closed)
Indoor Bowls Cen.
Farm
Stonelodge Farm Park
Stone Lodge Rifle Range
ARCHERY HO.
DA2
STONE HO. HOSP.
Training Cen.
DARTFORD TUNNEL A282
NEW TOWN
LITTLEBROOK MANOR
Dartford
EAST (WATLING ST.) HILL
THE BRENT
LONDON ROAD
A226
CHALK PIT (DISUSED)
John's Hole
WATLING STREET
B2200
LIVINGSTONE HOSP.
THE LIMES
Sports Ground
Running Track
Hesketh Park
Cemetery
Works
PARK RD.
A296
Junc. 1b
12
PRINCES ROAD
555
56
Superstore
Blackshots Farm

5
THURROCK
Grays
RM20
Oil Storage Depot
West Thurrock Marshes
West Thurrock Generating Station
Brick Works
Lake
Jetty
Tunnel Wharf
DARTFORD RIVER CROSSING
QUEEN ELIZABETH II BRIDGE
TUNNEL
OLIVER
BURNLEY ROAD
WATSON CL.
Stone Ness
Lighthouse
THAMES
ST. CLEMENT'S OR FIDDLER'S REACH
ESSEX
KENT
MARSHES
Warehouse
Dartford International Ferry Terminal
CLIPPER BOULEVARD
Johnson's Wharf
Causeway
Wharf
Mills
Spts. Grd.
Sports Grnd.
KESTNER INDUS. ESTATE
HIGH B255 ST.
STATION RD.
THE AVENUE
WORCESTER CL.
MARINERS CT.
INGRESS TER.
EAGLES
FIDDLER'S CL.
INGRESS PARK
ST. MARY'S ROAD
CHARLES STREET
Stone Crossing
ELIZABETH ST.
STONE
BELL CL.
CHURCH HILL
UPPER CHURCH HILL
LOWER CHURCH HILL
CHURCH RD.
COOPER CL.
SWALLOW CL.
Playing Field
COWLEY
KING EDWARD RD.
Greenhithe
LONDON ROAD
A226
GREENHITHE
Clinic
PARK TER.
Liby.
Comm. Cen.
School
COLLINGWOOD HO.
NELSON HO.
ALEXANDER RD.
ABBEY RD.
EYNSFORD
KNOCKHALL
Knockhall
Sports Field
Pav.
THE CRESCENT
CHASE
JUBILEE CL.
PORT AV.
STAR
BRANTON RD.
WINSTON CL.
CHURCH PATH
CHICHESTER
STANLEY CL.
HORNS CROSS
T.A.V.R. Cen.
STONE PLACE RD.
EDGE PLACE ROAD
Research Laboratories
Stone Castle
DA9
BEAN ROAD
B255 ROAD
MOUNTS RD.
ALKERDEN LANE
VALLEY VIEW
KEMSLEY CL.
SPRING VALE
PILGRIMS WAY
HASTED CL.
WHITES CL.
Alkerden Manor Farm
GILBERT
Greenhithe
CARLTON AV.
ELM RD.
ACACIA RD.
Stone Recreation Ground
HAYES RD.
Stone Co. Prim. Sch.
LOUVAIN
TURNBULL CL.
MORGAN DR.
Cemy.
ST. JAMES
CHALK PIT
BLUE WATER PARK (PROPOSED)
WATLING
CHALK PIT
13
9
F G H J K
58 59
77 76 175 74
1 2 3 4 5 6 7

RIVER THAMES
ESSEX
KENT
ST. CLEMENT'S OR FIDDLER'S REACH
NORTHFLEET HOPE
RM16
DA11
DA9
DA10
DARTFORD
Gravesham
Swanscombe
SWANSCOMBE
Knockhall
Northfleet
Lighthouse
Radar Sta.
Broadness Salt Marshes
Swanscombe Marshes
Botany Marshes
Sewage Works
Lake
Pier
Jetty
Bell Wharf
Depot
Wharf
Works
Tower Wharf
Thurrock Yacht Club
The Beach
Boating Pool
Causeway
Mills
Spts. Grd.
Pav.
NORTHFLEET INDUSTRIAL ESTATE
SWANSCOMBE BUSINESS CEN.
GALLEY HILL TRADING EST.
Ebbsfleet Industrial Estate
Res.
A226
LONDON ROAD
GALLEY HILL ROAD
STONEBRIDGE RD.
LOWER WAY
MANOR WAY
GREEN MANOR WAY
LOWER ROAD
BOTANY ROAD
PILGRIMS ROAD
HIGH ST
STANHOPE RD.
B259
SOUTHFLEET ROAD
CRAYLANDS LANE
CRAYLANDS SQ.
KNOCKHALL RD.
ALEXANDER RD.
INGRESS GDNS.
LOVERS LANE
ALKERDEN LANE
MILTON ROAD
MANOR ROAD
SWANSCOMBE ST.
LEONARD AV.
KEARY ROAD
Sports Ground
Football Ground
Football Grd.
Recreation Ground
Swanscombe Sports Cen.
Sports Field
Cemy.
Rec. Grd.
Ten. Ct.
Schools
Playing Field
Sch.
Alkerden Manor Farm
CHALK PIT
Sports Ground
Tennis Courts
Bowl. Grn.
Northfleet Recreation Ground
Almshouses
Tennis Cts.
Sewage Works
Springhead Enterprise Park
Ebbsfleet
560
61
77
76
175
74
A B C D E
1 2 3 4 5 6 7

5
14

7
TILBURY MARSHES
Tilbury North Junction
Grays
Supermarket
Football Ground
Playing Field
Karting Stadium
Jack Lobley Prim. Sch.
School
King George's Field
ST. ANDREW'S ROAD
A1089
ST. CHADS ROAD
A126
Warehouse
Warehouses
Granary
Mineral Railway
RM17
RM18
Tilbury Town
TILBURY
TILBURY DOCKS
FERRY ROAD
Dry Docks
Works
Rolling Lift Bridge
Locks
Tilbury Ness
Tidal Basin
Depot
Swing Bridge
Jetty
Pier
Landing Stage
ESSEX
KENT
THAMES
Ferry (Passenger)
GRAVESEND
NORTHFLEET
Mills
Power Sta. (Dis.)
Wharf
ROSHERVILLE
DA11
Works
Industrial Estate
Superstores
LONDON ROAD
A226
OVERCLIFFE
THE HILL
DOVER ROAD
SPRINGHEAD RD.
B2175
A2260
B261
WAY
Recreation Ground
LAKE
THAMES WAY
School
College
Cricket Ground
Bowl. Grn.
WATFORD RD.
OLD RD. W.
PERRY
15
8

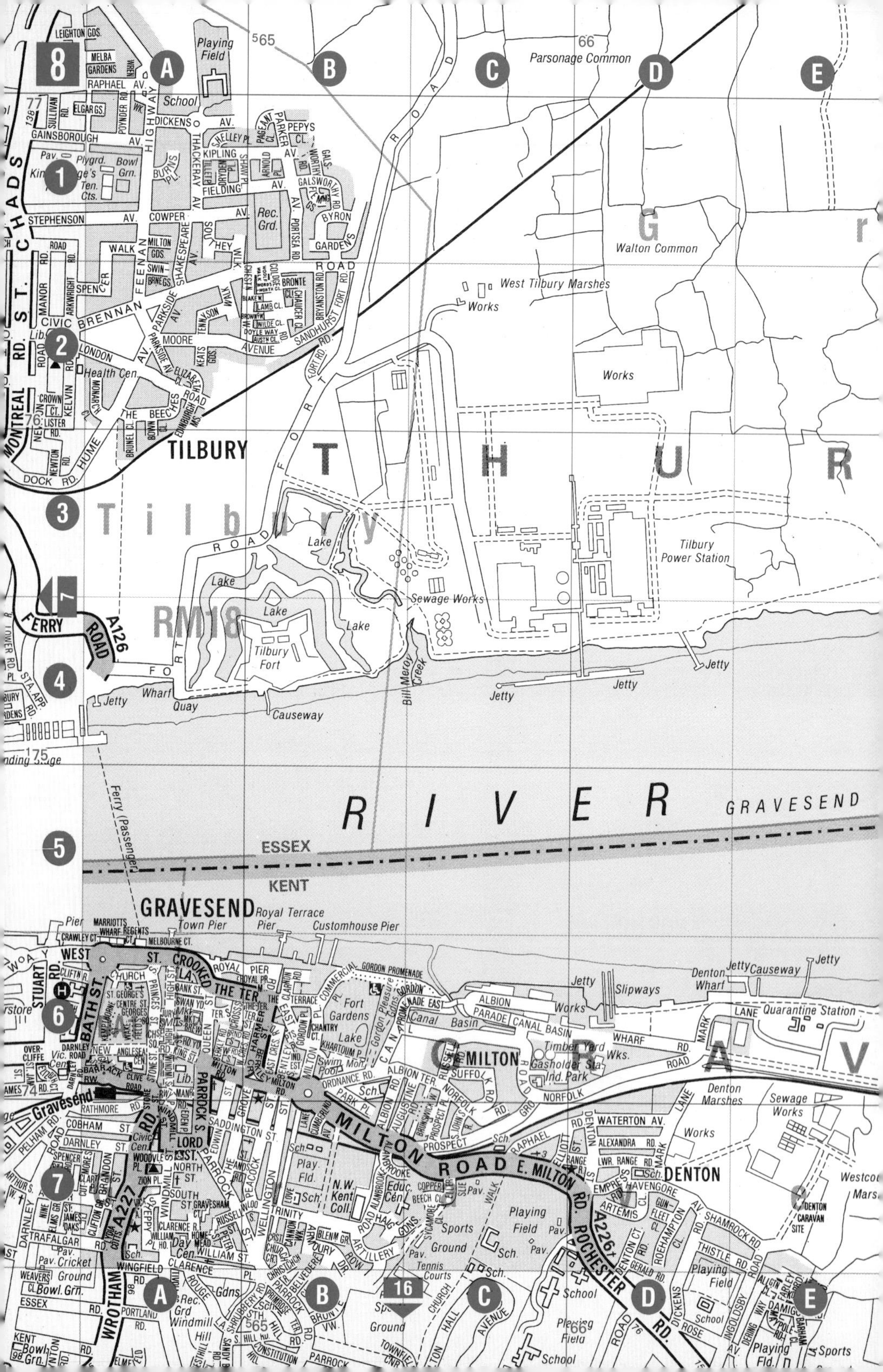

8
A
B
C
D
E
1
2
3
4
5
6
7
565
66
77
76
75
74
175
Playing Field
School
Parsonage Common
Walton Common
West Tilbury Marshes
Works
TILBURY
Tilbury
THURROCK
RM18
Tilbury Power Station
Sewage Works
Lake
Tilbury Fort
Bill Meroy Creek
Jetty
Wharf
Quay
Causeway
FERRY ROAD
A126
FORT ROAD
DOCK RD.
ST. CHADS RD.
MONTREAL RD.
CIVIC SQ.
Lib.
Health Cen.
BRENNAN RD.
MOORE AVENUE
SANDHURST RD.
BRYANSTON RD.
COWPER AV.
STEPHENSON AV.
GAINSBOROUGH AV.
DICKENS AV.
RAPHAEL AV.
LEIGHTON GDS.
MELBA GARDENS
THACKERAY AV.
SHAKESPEARE AV.
KIPLING AV.
FIELDING AV.
BYRON GARDENS
Rec. Grd.
King George's Ten. Cts.
Bowl Grn.
Ferry (Passenger)
RIVER
GRAVESEND
ESSEX
KENT
GRAVESEND
Royal Terrace Pier
Town Pier
Customhouse Pier
WEST ST.
CROOKED LA.
ROYAL PIER RD.
THE TER.
GORDON PROMENADE
Fort Gardens
Canal Basin
ALBION PARADE
CANAL BASIN
MILTON
Timber Yard
Gasholder Sta.
Ind. Park
Denton Wharf
Quarantine Station
Slipways
Denton Marshes
Sewage Works
DENTON
DENTON CARAVAN SITE
MILTON ROAD
E. MILTON RD.
ROCHESTER RD.
A226
A227
WROTHAM RD.
PARROCK ST.
Gravesend
Civic Cen.
Day Cen.
Play. Fld.
N.W. Kent Coll.
Educ. Cen.
Sports Ground
Tennis Courts
Playing Field
Pav.
Sch.
School
Cricket Ground
Bowl. Grn.
Windmill Hill
16
Sports Ground
WATERTON AV.
ALEXANDRA RD.
SHAMROCK RD.
THISTLE RD.

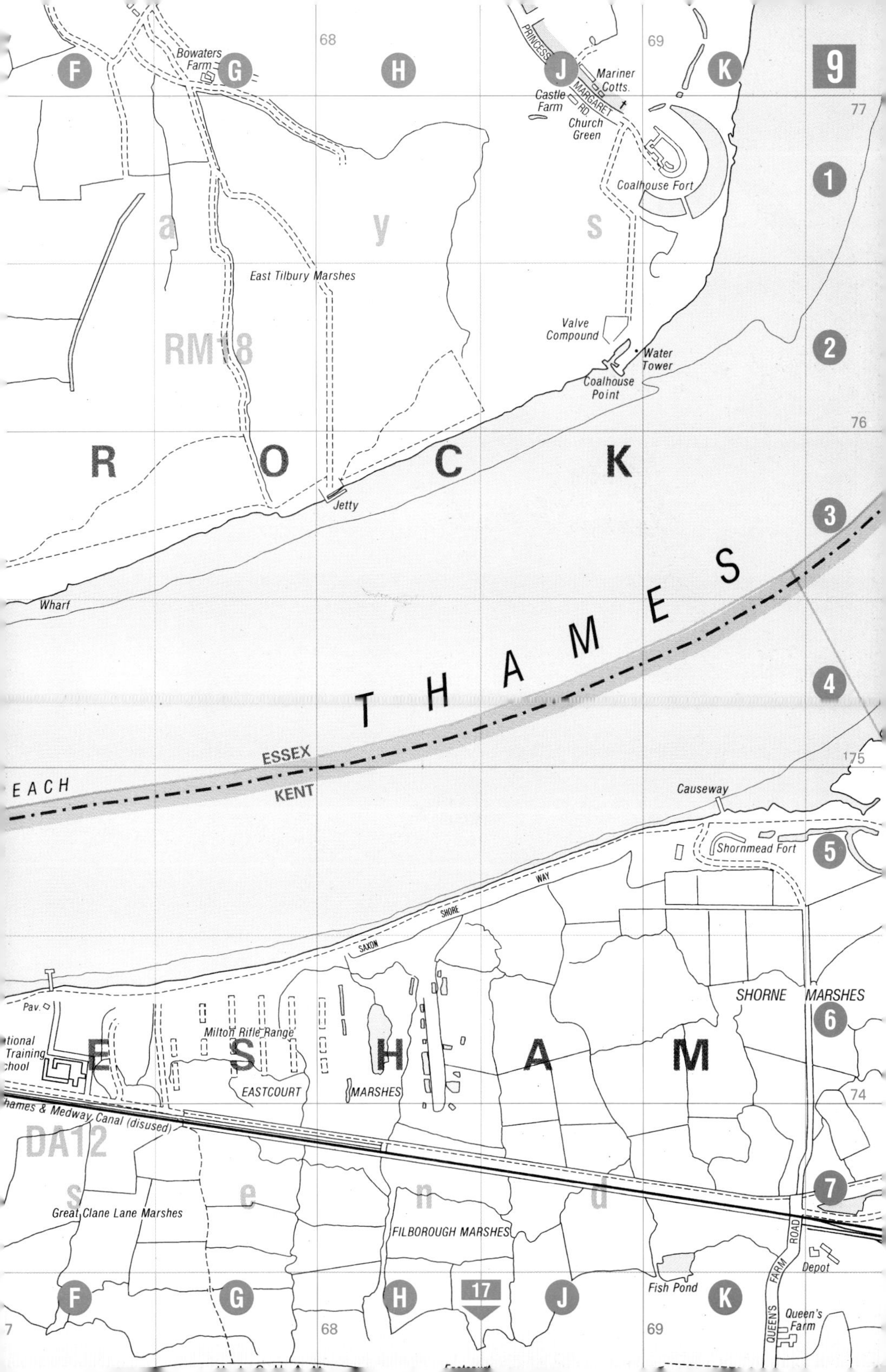

68
69
Bowaters Farm
Princess Margaret Rd.
Mariner Cotts.
Castle Farm
Church Green
Coalhouse Fort
East Tilbury Marshes
RM18
Valve Compound
Water Tower
Coalhouse Point
Jetty
Wharf
ROCK
THAMES
ESSEX
KENT
EACH
Causeway
Shornmead Fort
Saxon Shore Way
SHORNE MARSHES
Pav.
Milton Rifle Range
tional Training chool
ESHAM
EASTCOURT
MARSHES
hames & Medway Canal (disused)
DA12
Great Clane Lane Marshes
FILBOROUGH MARSHES
Queen's Farm Road
Depot
Fish Pond
Queen's Farm
17
77
76
175
74

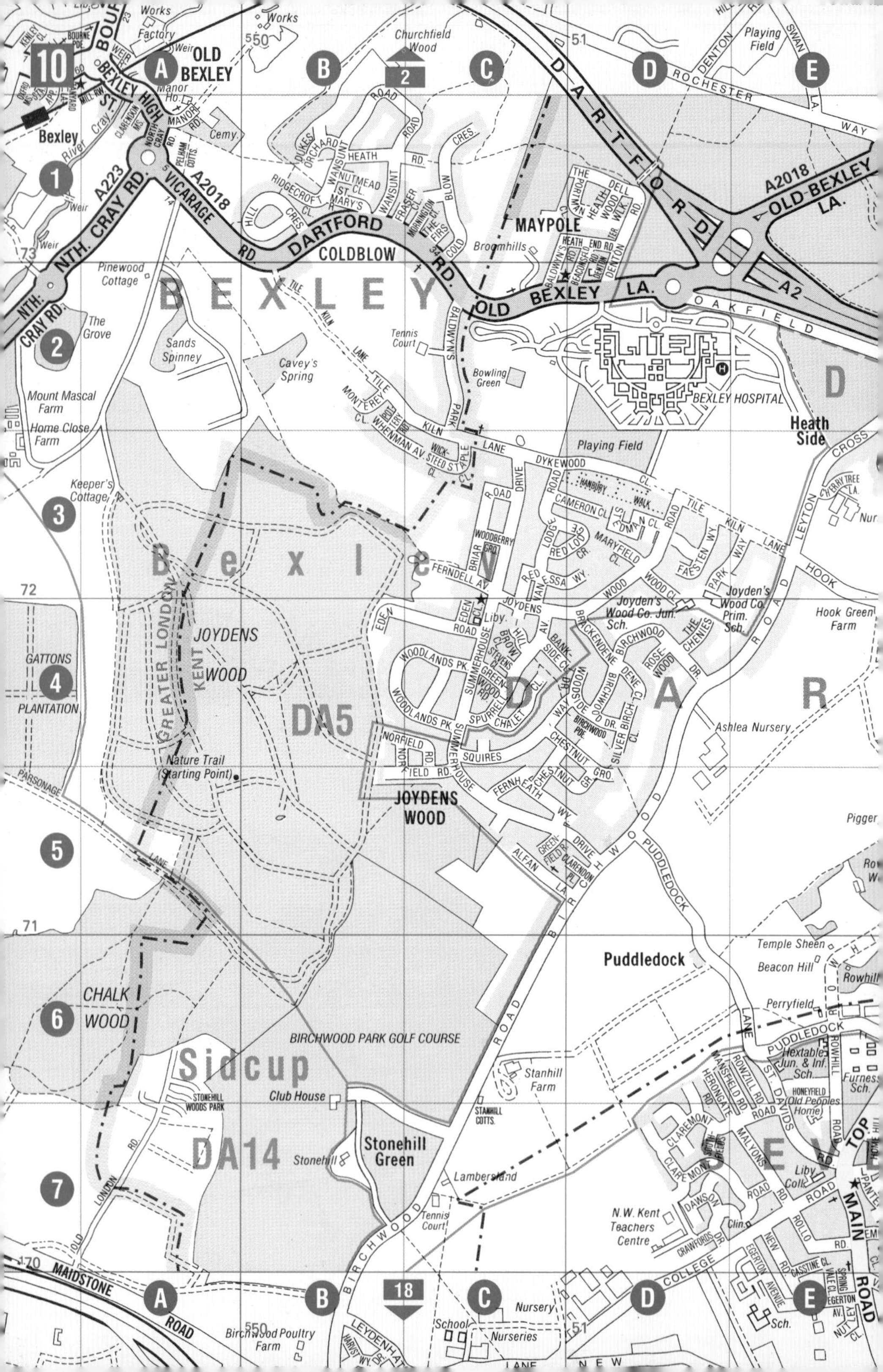

OLD BEXLEY
Bexley
River Cray
Works
Factory
Weir
Manor Ho.
Cemy.
Churchfield Wood
2
51
550
DARTFORD
ROCHESTER WAY
DENTON
Playing Field
SWAN LA.
A2018
OLD BEXLEY LA.
A223
NTH. CRAY RD.
BEXLEY HIGH ST.
VICARAGE RD.
DARTFORD RD.
COLDBLOW
MAYPOLE
Broomhills
BEXLEY
OLD BEXLEY LA.
OAKFIELD
A2
BEXLEY HOSPITAL
Heath Side
Pinewood Cottage
The Grove
Sands Spinney
Cavey's Spring
Tennis Court
Bowling Green
Mount Mascal Farm
Home Close Farm
Keeper's Cottage
TILE KILN LANE
Playing Field
DYKEWOOD CL.
LEYTON CROSS
HOOK
Hook Green Farm
73
72
71
170
GATTONS PLANTATION
Bexley
GREATER LONDON
KENT
JOYDENS WOOD
DA5
Joyden's Wood Co. Jun. Sch.
Joyden's Wood Co. Prim. Sch.
Ashlea Nursery
DARTFORD
Nature Trail (Starting Point)
JOYDENS WOOD
PARSONAGE LANE
BIRCHWOOD ROAD
PUDDLEDOCK LANE
Puddledock
Temple Sheen
Beacon Hill
Rowhill
Perryfield
Hextable Jun. & Inf. Sch.
Furness Sch.
HONEYFIELD (Old Peoples Home)
CHALK WOOD
Sidcup
BIRCHWOOD PARK GOLF COURSE
Club House
Stanhill Farm
STANHILL COTTS.
STONEHILL WOODS PARK
DA14
Stonehill
Stonehill Green
Lambersland
Tennis Court
N.W. Kent Teachers Centre
Liby.
Coll.
Clin.
MAIN ROAD
TOP
COLLEGE
MAIDSTONE ROAD
OLD LONDON RD.
18
Nursery
School
Nurseries
Birchwood Poultry Farm
Sch.
NEW
LANE
A
B
C
D
E
1
2
3
4
5
6
7

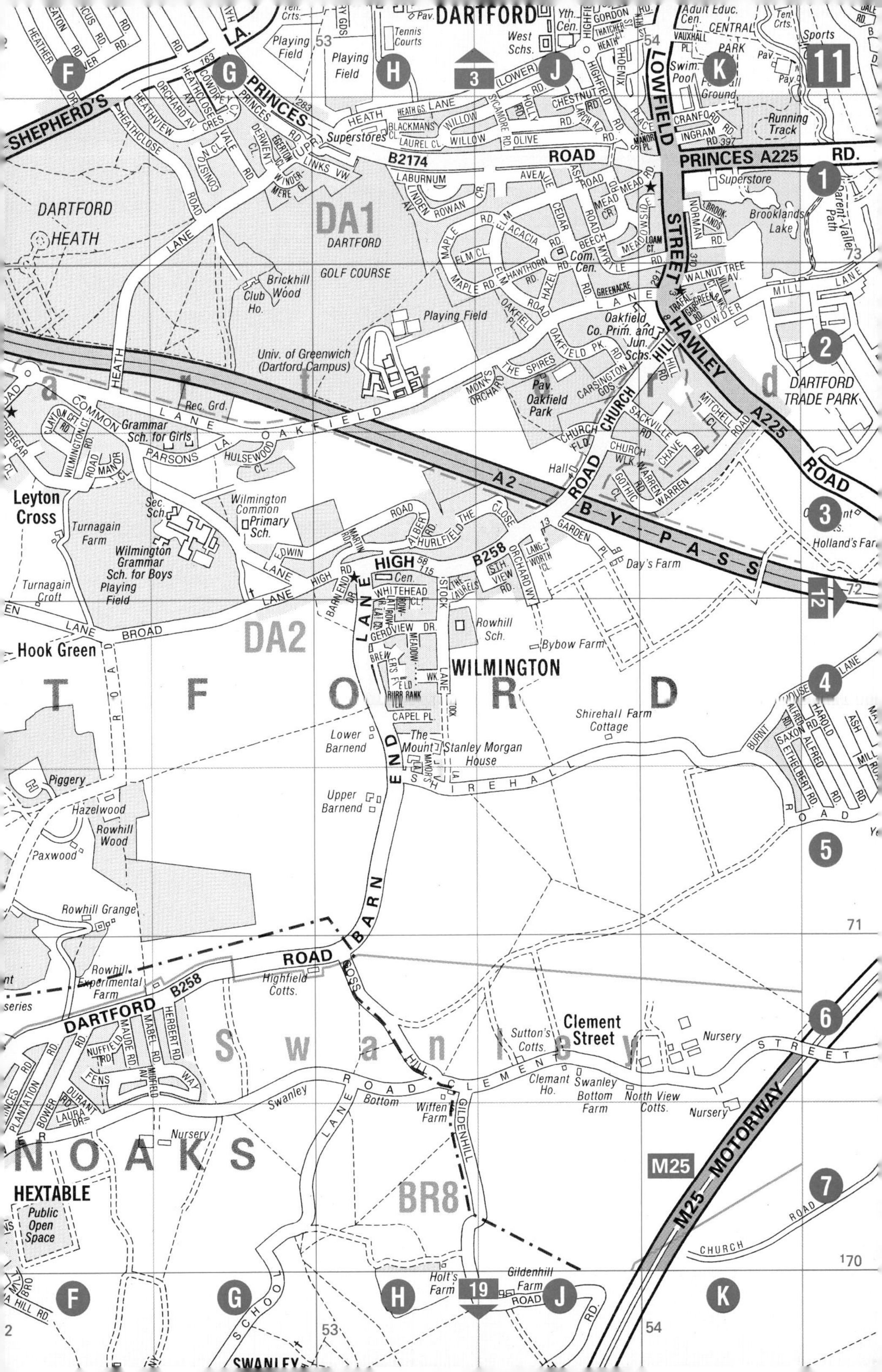

DARTFORD
11
DARTFORD HEATH
DA1
DARTFORD
GOLF COURSE
PRINCES A225 RD.
B2174
ROAD
SHEPHERD'S
PRINCES
LOWFIELD STREET
HAWLEY ROAD A225
Brooklands Lake
DARTFORD TRADE PARK
Univ. of Greenwich (Dartford Campus)
A2
BY-PASS
Leyton Cross
Hook Green
DA2
WILMINGTON
HIGH
B258
BARN END LANE
Wilmington Grammar Sch. for Girls
Wilmington Grammar Sch. for Boys
Turnagain Farm
Rowhill Sch.
Bybow Farm
Day's Farm
Shirehall Farm Cottage
Stanley Morgan House
Lower Barnend
Upper Barnend
Piggery
Hazelwood
Rowhill Wood
Paxwood
Rowhill Grange
Rowhill Experimental Farm
DARTFORD ROAD
Highfield Cotts.
Clement Street
Sutton's Cotts.
Nursery
Clemant Ho.
Swanley Bottom Farm
North View Cotts.
Wiffen Farm
HEXTABLE
Public Open Space
BR8
M25 MOTORWAY
Holt's Farm
Gildenhill Farm
19
12
3
SWANLEY
DARTFORD
SEVENOAKS
Swanley

12
Sports Ground
Running Track
PRINCES
A225
ROAD
WATLING
STREET
Junc. 1b
PRINCES
A296
ROAD
Cemetery
Works
Brooklands Lake
Darent-Valley Path
Dartford Sports and Social Club
Leigh City Tech. Coll.
Playing Field
GREEN
B260
STREET
A282
POWDER
MILL
LANE
DARENTH
DA1
Works
Industrial Estate
Fleetdown Co. Prim. and Jun. Schs.
FLEET DOWNS
Downs Farm
Darenth Park Hospital (Closed)
DARTFORD TRADE PARK
HAWLEY
A225
Blackdale Farm Cotts.
Blackdale Farm
Trolling Down Hill
GREEN
ROAD
GORE
Cemetery
Claremont Cotts.
Holland's Farm
Hawley Manor
A2
D A R T F O R D
Junction 2
Works
Waller Park
LANE END
HAWLEY
King George's Field
Darenth Grange
DARENTH
Hawley Garden Centre
Yewtree Farm Nursery
M25
M25 MOTORWAY
Works
Old Mill Farm
Darenth Court Farm
Works
The Alders
ROAD
Summit Farm
Portway Nursery
Broad Oak
PARSONAGE LA.
MAIN
Rec. Ground
DA4
Roman Building (Site of)
CLEMENT STREET
BR8
Cemy.
CHURCH ROAD
Sutton-at-Hone Co. Prim. Sch.
SUTTON-AT-HONE
Lib.
St. John's Jerusalem National Trust
Darent Valley Path
ROMAN VILLA ROAD
A225
ROAD
CHURCH
Swyres
Blackshots Farm
20
4
11

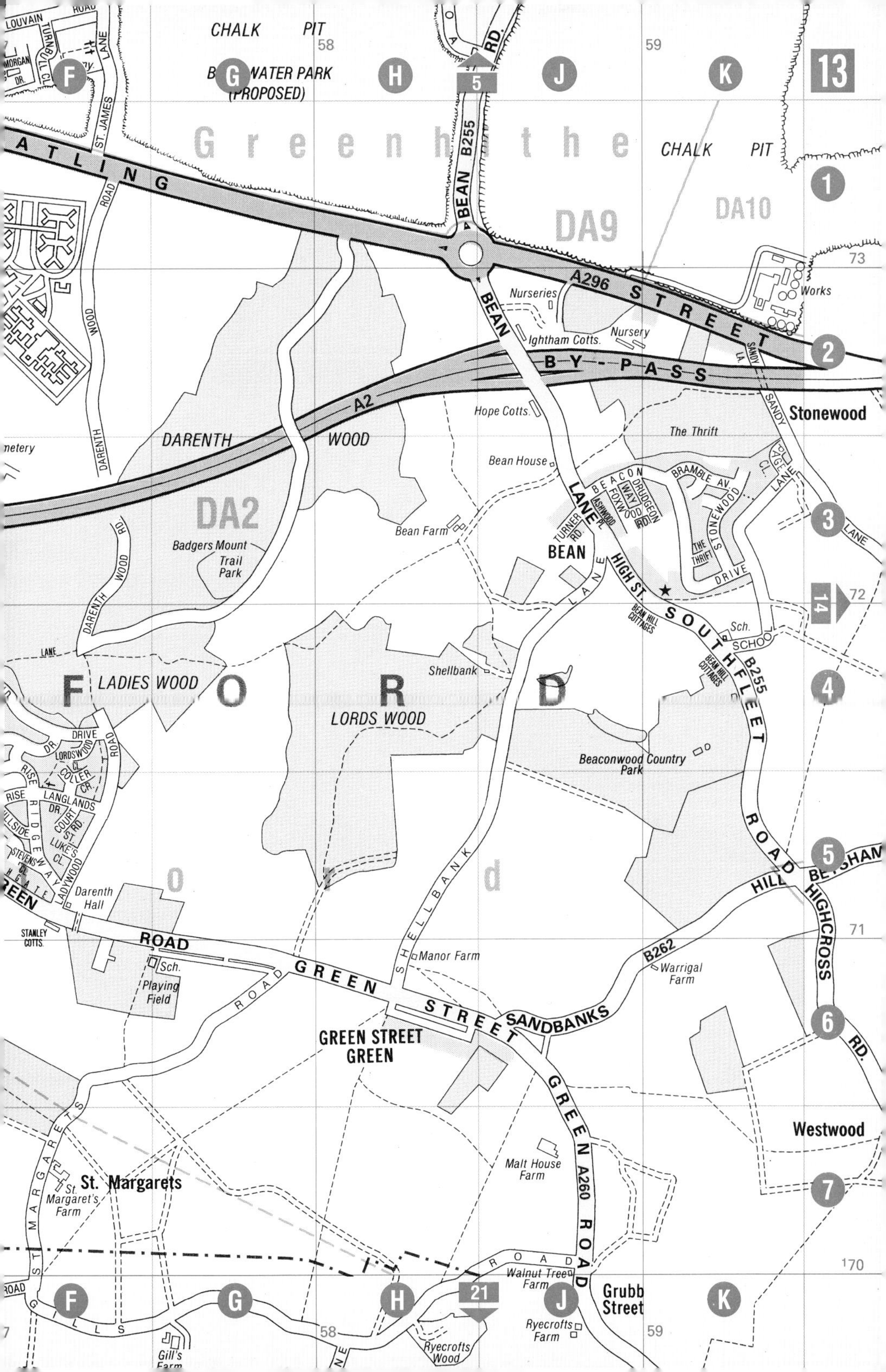
LOUVAIN
TURNBULL CL.
MORGAN DR.
LANE
CHALK PIT
58
59
WATER PARK (PROPOSED)
RD.
5
F
G
H
J
K
Greenhithe
ST. JAMES
BEAN B255
WATLING
CHALK PIT
1
DA10
DA9
ROAD
73
A296 STREET
Works
Nurseries
Nursery
BEAN
Ightham Cotts.
2
SANDY LA.
BY-PASS
A2
WOOD
Hope Cotts.
SANDY
Stonewood
The Thrift
DARENTH
DARENTH WOOD
Bean House
BEACON
BRAMBLE AV.
PAGE CL.
LANE
WAY
DRUDGEON
FOXWOOD
ASHWOOD PL.
RD
STONEWOOD
3
DA2
Bean Farm
TURNER RD.
BEAN
THE THRIFT
DRIVE
Badgers Mount Trail Park
DARENTH WOOD RD.
HIGH ST.
14
72
SOUTHFLEET
BEAN HILL COTTAGES
Sch.
SCHOOL
LANE
Shellbank
B255
LADIES WOOD
FORD
4
LORDS WOOD
Beaconwood Country Park
DRIVE
LORDSWOOD CL.
COLLER CR.
RISE
LANGLANDS DR.
RIDGEWAY
COURT RD.
ST. LUKE'S CL.
STEVENS CL.
HILLSIDE
ROAD
5
BETSHAM
HILL
HIGHCROSS
Darenth Hall
LADYWOOD
SHELLBANK
STANLEY COTTS.
ROAD
71
B262
Sch.
Manor Farm
Warrigal Farm
Playing Field
GREEN
GREEN STREET
SANDBANKS
6
RD.
GREEN STREET GREEN
GREEN A260 ROAD
Westwood
Malt House Farm
St. Margarets
St. Margaret's Farm
ST. MARGARETS
7
170
ROAD
Walnut Tree Farm
Grubb Street
21
GILLS
Ryecrofts Farm
Ryecrofts Wood
Gill's Farm

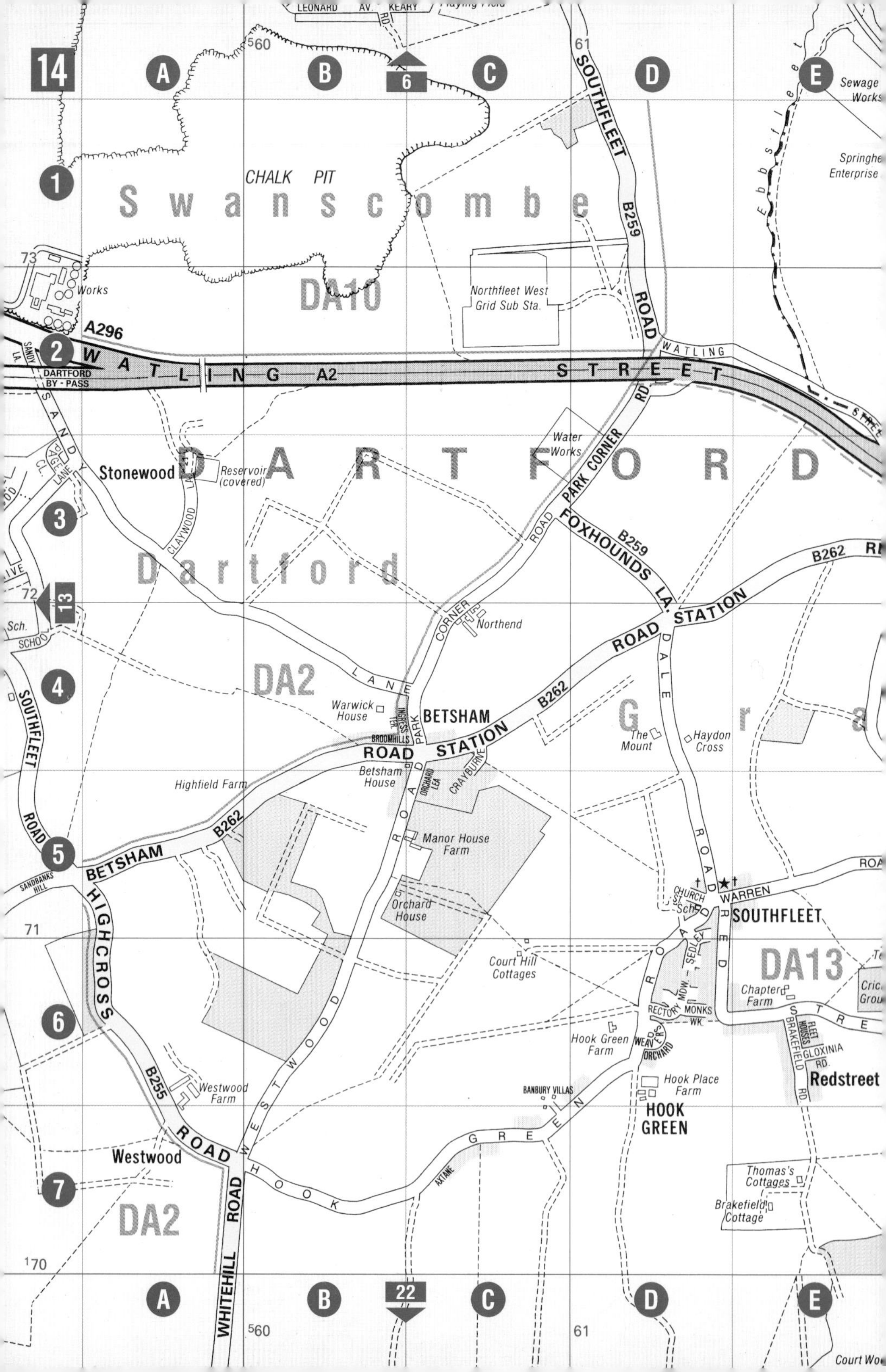

CHALK PIT
Swanscombe
DA10
Works
A296
WATLING A2 STREET
DARTFORD BY-PASS
SOUTHFLEET ROAD
B259
Northfleet West Grid Sub Sta.
Water Works
DARTFORD
Stonewood
Reservoir (covered)
CLAYWOOD LA.
PARK CORNER ROAD
FOXHOUNDS LA.
Dartford
B262
STATION ROAD
Northend
DA2
Warwick House
BETSHAM
The Mount
Haydon Cross
BROOMHILLS
Betsham House
CRAYBURNE
Highfield Farm
Manor House Farm
Orchard House
BETSHAM
HIGHCROSS
SANDBANKS HILL
WARREN
SOUTHFLEET
DA13
Court Hill Cottages
Chapter Farm
RECTORY
MONKS WK.
Hook Green Farm
ORCHARD
BRAKEFIELD RD.
GLOXINIA RD.
Redstreet
Hook Place Farm
BANBURY VILLAS
HOOK GREEN
Westwood Farm
B255
ROAD
WESTWOOD
HOOK GREEN
Westwood
WHITEHILL ROAD
DA2
Thomas's Cottages
Brakefield Cottage
Sewage Works
Springhead Enterprise
Ebbsfleet
SOUTHFLEET ROAD
Sch.
DALE ROAD
SEDLEY
CHURCH ST.
LEONARD AV.
KEARY RD
6
13
22

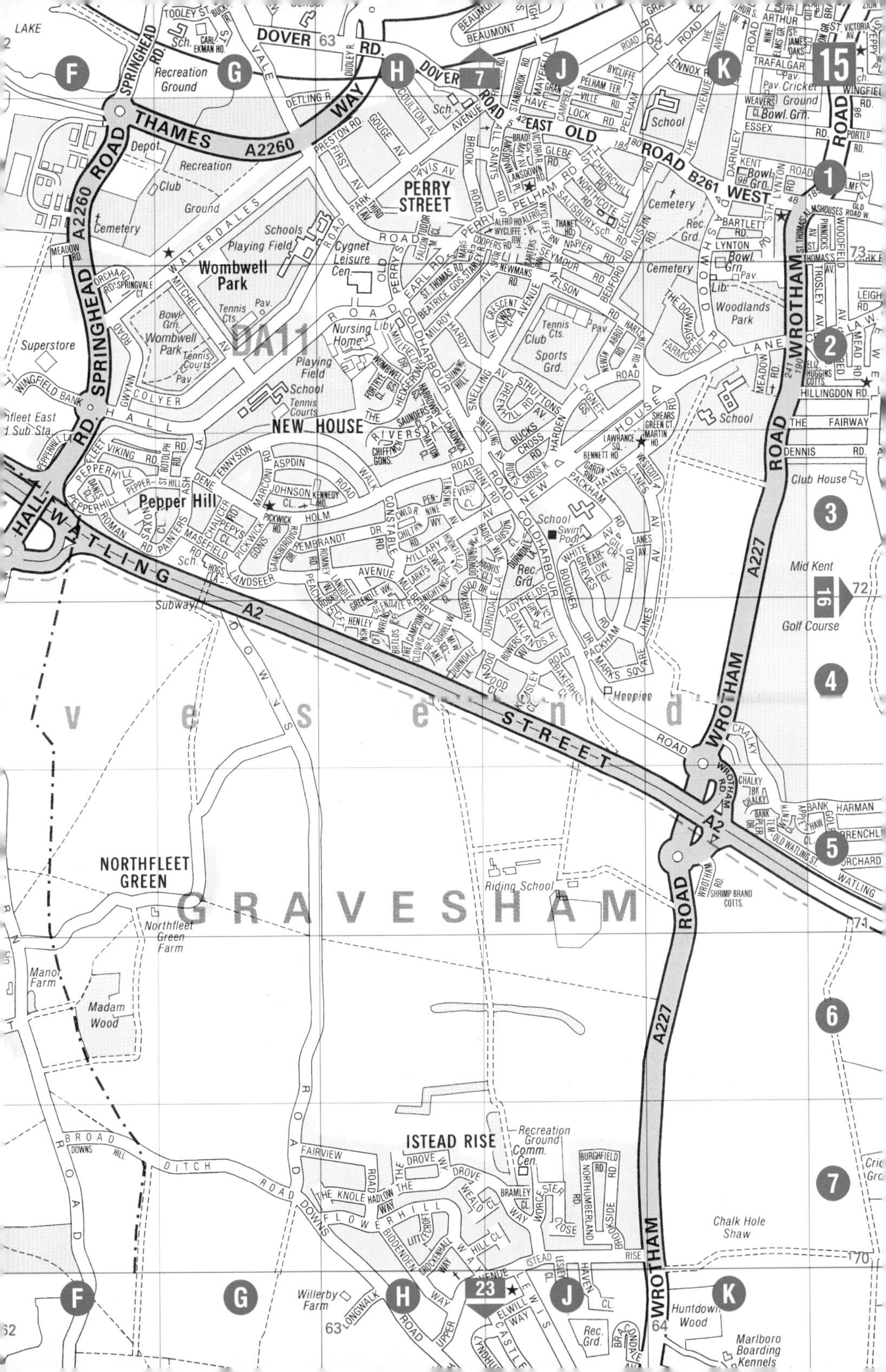

DOVER RD.
Recreation Ground
THAMES WAY A2260
SPRINGHEAD RD.
A2260 SPRINGHEAD ROAD
Depot
Recreation
Club
Ground
Cemetery
WATERDALES
Schools
Playing Field
Wombwell Park
Cygnet Leisure Cen.
PERRY STREET
EAST OLD ROAD B261 WEST
School
Cemetery
Woodlands Park
DA11
Superstore
Nursing Home
Playing Field
School
Tennis Courts
NEW HOUSE
Pepper Hill
COLDHARBOUR ROAD
Club Sports Grd.
Tennis Cts.
School
Swim Pool
Rec. Grd.
WROTHAM ROAD A227
Club House
Mid Kent Golf Course
WATLING STREET A2
Subway
Hospice
NORTHFLEET GREEN
Northfleet Green Farm
GRAVESHAM
Riding School
Manor Farm
Madam Wood
ISTEAD RISE
Recreation Ground
Comm. Cen.
BROAD DITCH ROAD
DOWNS ROAD
Chalk Hole Shaw
Willerby Farm
Huntdown Wood
Marlboro Boarding Kennels
Rec. Grd.
F G H J K
1 2 3 4 5 6 7
7
16
23
63 64
73 72 71 170

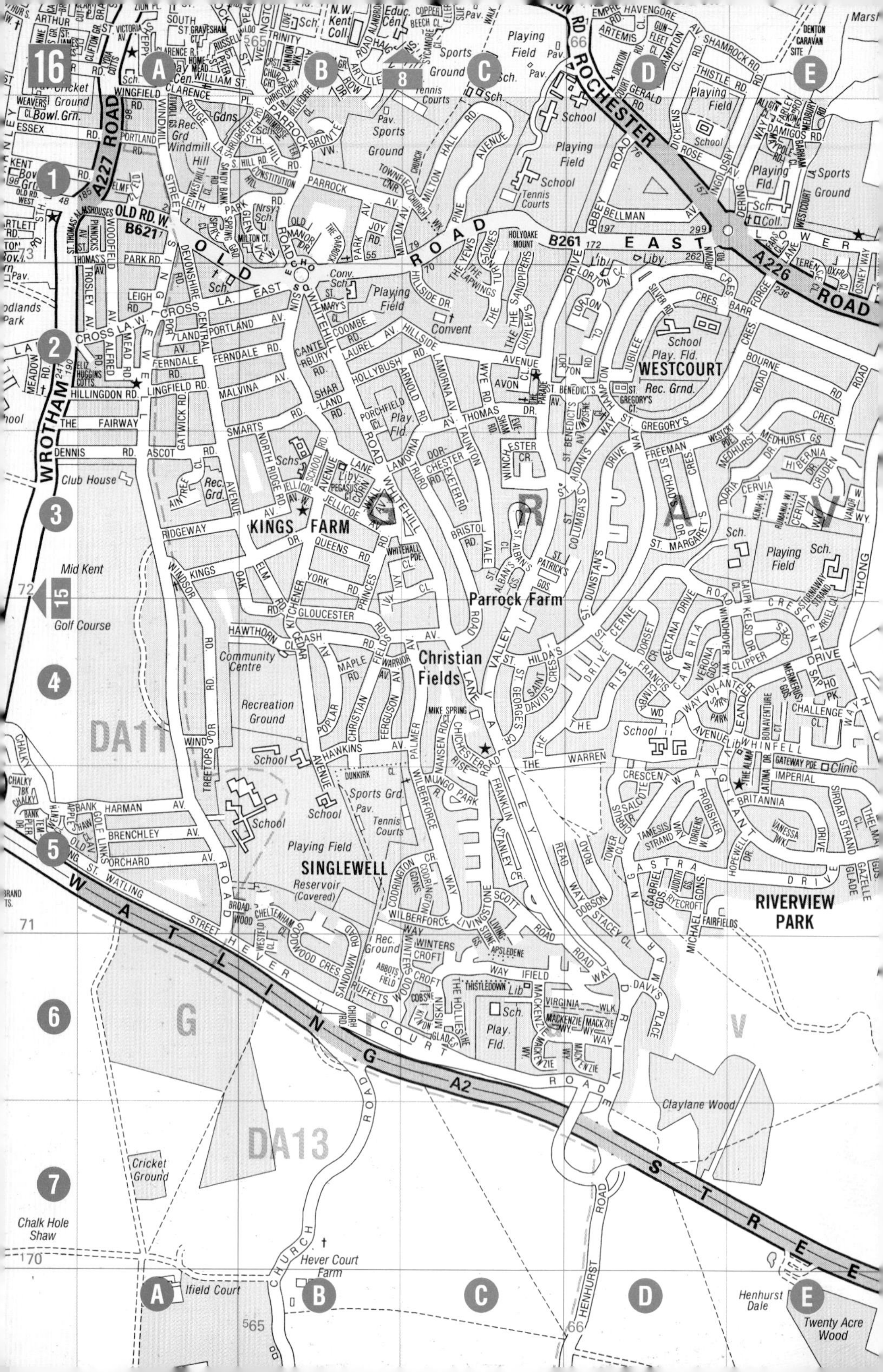
16
A
B
C
D
E
1
2
3
4
5
6
7
8
15
565
66
73
72
71
170
A227 ROAD
WROTHAM
OLD RD. W.
B621
OLD ROAD EAST
B261
ROCHESTER RD
A226
LOWER
ROAD
WATLING STREET
A2
DA11
DA13
GRAVESEND
KINGS FARM
Parrock Farm
Christian Fields
WESTCOURT
Rec. Grnd.
SINGLEWELL
RIVERVIEW PARK
Mid Kent
Golf Course
Club House
Community Centre
Recreation Ground
Reservoir (Covered)
Playing Field
Sports Ground
Tennis Courts
Claylane Wood
Cricket Ground
Chalk Hole Shaw
Hever Court Farm
Ifield Court
Henhurst Dale
Twenty Acre Wood
Denton Caravan Site
Windmill Hill
Convent
Cricket Ground
Bowl. Grn.
N.W. Kent Coll
School
Liby.
Clinic
PARROCK
MILTON AV.
PINE AVENUE
ABBEY ROAD
BELLMAN AV.
VALLEY DRIVE
WHITEHILL ROAD
LAMORNA AV.
HILLSIDE AV.
WINDSOR RD.
TREETOPS
HARMAN AV.
BRENCHLEY AV.
ORCHARD AV.
SANDOWN ROAD
WILBERFORCE WAY
HEVER COURT ROAD
CHURCH ROAD
HENHURST ROAD
DAVY'S PLACE
WARREN
ST. GREGORY'S CRES.
ST. DUNSTAN'S DRIVE
CAMBRIA AV.
ASTRA DRIVE
VIGILANT WAY
THONG LA.
BOURNE ROAD
FORGE LA.

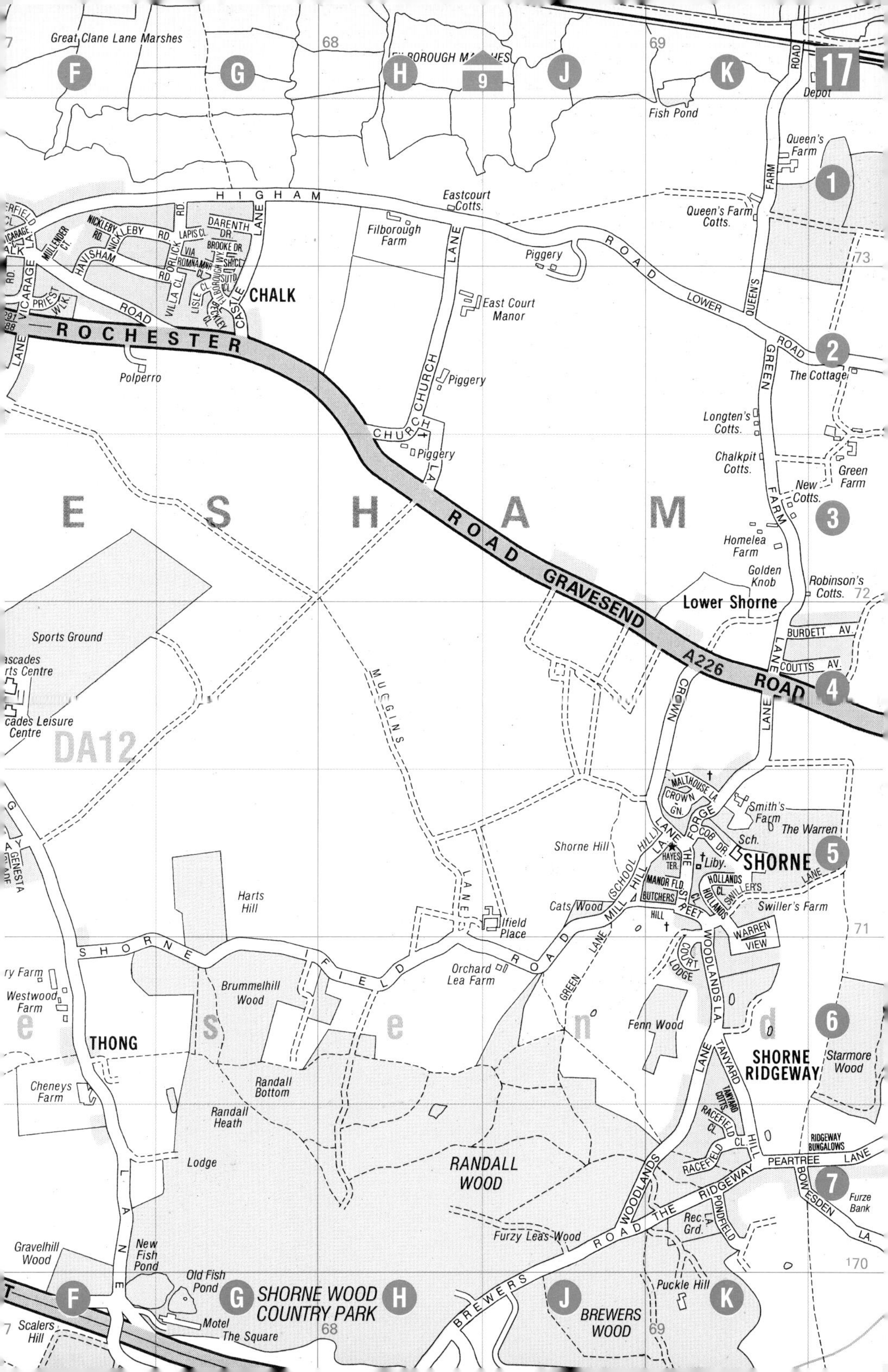

Great Clane Lane Marshes
FILBOROUGH MARSHES
9
Fish Pond
Depot
Queen's Farm
Queen's Farm Cotts.
Eastcourt Cotts.
HIGHAM
Filborough Farm
Piggery
LOWER ROAD
QUEEN'S FARM ROAD
CHALK
East Court Manor
ROCHESTER ROAD
Polperro
CHURCH LANE
Piggery
Piggery
GREEN FARM LANE
The Cottage
Longten's Cotts.
Chalkpit Cotts.
Green Farm
New Cotts.
Homelea Farm
Golden Knob
Robinson's Cotts.
Lower Shorne
BURDETT AV.
COUTTS AV.
GRAVESEND ROAD
A226
E S H A M
Sports Ground
DA12
MUGGINS LANE
CROWN LANE
MALTHOUSE LA.
CROWN GN.
FORGE LANE
COB DR.
Smith's Farm
The Warren
Sch.
Liby.
SHORNE
Shorne Hill
Harts Hill
Cats Wood
MILL HILL LA.
MANOR FLD.
BUTCHERS
HOLLANDS CL.
Swiller's Farm
Ifield Place
SHORNE IFIELD ROAD
Orchard Lea Farm
WARREN VIEW
COURT LODGE
WOODLANDS LA.
GREEN LANE
Westwood Farm
Brummelhill Wood
Fenn Wood
THONG
e s e n d
SHORNE RIDGEWAY
Starmore Wood
Cheneys Farm
Randall Bottom
Randall Heath
TANYARD LANE
RACEFIELD CL.
RIDGEWAY BUNGALOWS
PEARTREE LANE
Lodge
RANDALL WOOD
THE RIDGEWAY
BOWESDEN LA.
Furze Bank
Furzy Leas Wood
Rec. Grd.
PONDFIELD LA.
Gravelhill Wood
New Fish Pond
Old Fish Pond
Puckle Hill
SHORNE WOOD COUNTRY PARK
BREWERS ROAD
BREWERS WOOD
Motel
The Square
Scalers Hill
68
69
73
72
71
170
F G H J K
1 2 3 4 5 6 7

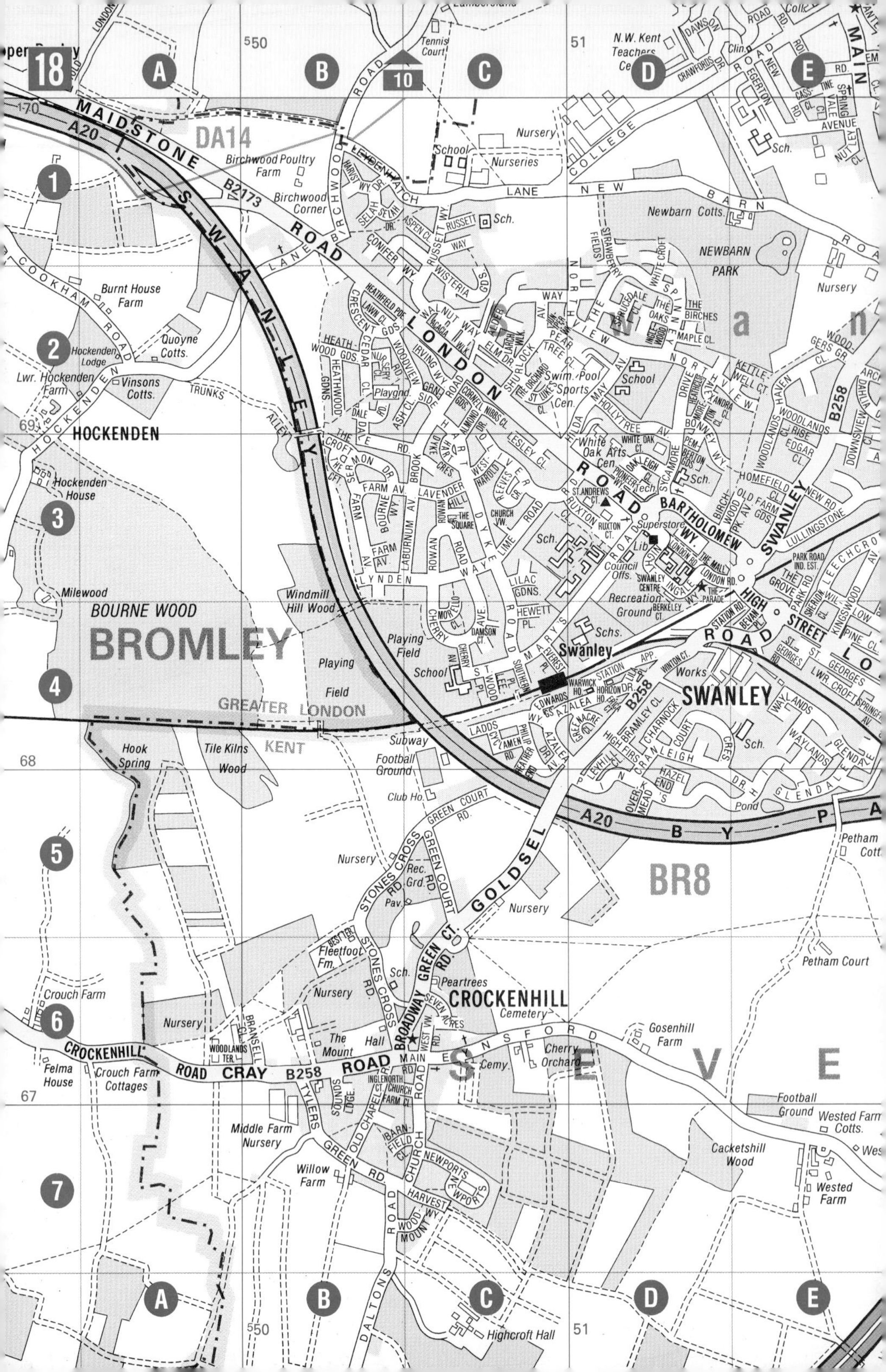
A
B
C
D
E
1
2
3
4
5
6
7
550
51
170
69
68
67
10
DA14
BR8
MAIDSTONE ROAD
A20
B2173
SWANLEY BY PASS
Birchwood Poultry Farm
Birchwood Corner
BIRCHWOOD ROAD
LEYDENHATCH LANE
Tennis Court
School
Nursery
Nurseries
COLLEGE
N.W. Kent Teachers Cen.
DAWSON DR.
CRAWFORDS
EGERTON
CASSTINE CL.
SPRING VALE
AVENUE
NUTLEY CL.
Sch.
NEW BARN LANE
Newbarn Cotts.
NEWBARN PARK
Nursery
COOKHAM ROAD
Burnt House Farm
Hockenden Lodge
Quoyne Cotts.
Lwr. Hockenden Farm
Vinsons Cotts.
TRUNKS ALLEY
HOCKENDEN LANE
HOCKENDEN
Hockenden House
Milewood
BOURNE WOOD
BROMLEY
Windmill Hill Wood
Playing Field
GREATER LONDON
KENT
Hook Spring
Tile Kilns Wood
LONDON ROAD
RUSSETT WY.
CONIFER WY.
WISTERIA GDS.
WALNUT WAY
HEATHFIELD
CRESCENT GDS.
HEATHWOOD GDNS.
HEATH WOOD GDS.
CEDAR CL.
WOODVIEW
IRVING WAY
Playgnd.
ASH CL.
DALE RD.
THE CROFT
SERMON DR.
FARM AV.
BOURNE WY.
LAVENDER HILL
LABURNUM AV.
ROWAN ROAD
WAY
LYNDEN
CHERRY AVE.
DAMSON CT.
School
ST. MARYS ROAD
SOUTHERN PL.
EVEREST PL.
Swanley
Schs.
Sch.
Swim. Pool Sports Cen.
School
NORTHVIEW
STRAWBERRY FIELDS
WHITE CROFT
THE BIRCHES
MAPLE CL.
HILDA MAY AV.
HOLLYTREE AV.
White Oak Arts Cen.
WHITE OAK CT.
OAKLEIGH CL.
SYCAMORE DRIVE
BONNEY WY.
PEMBERTON GDS.
Tech.
BARTHOLOMEW WY.
ST. ANDREWS CT.
RUXTON CT.
Superstore
Lib.
Council Offs.
SWANLEY CENTRE
THE MALL
LONDON RD.
THE PARADE
Recreation Ground
BERKELEY CT.
LESLEY CL.
CHURCH VW.
LIME ROAD
LILAC GDNS.
HEWETT PL.
HOMEFIELD CL.
NEW RD.
OLD FARM GDS.
BIRCHWOOD PK. AV.
SWANLEY
LULLINGSTONE
WOODLANDS
EDGAR CL.
DOWNSVIEW
B258
PARK ROAD IND. EST.
THE GROVE
PARK RD.
KINGSWOOD
HIGH STREET
STATION RD.
ROAD
ST. GEORGES RD.
LWR. CROFT
Works
SWANLEY
STATION APP.
AZALEA DR.
GREENACRE CL.
BRAMLEY CL.
CHARNOCK
COURT
CRANLEIGH DR.
HAZEL END
OVERMEAD
WAYLANDS
GLENDALE
Pond
Subway
Football Ground
Club Ho.
GREEN COURT RD.
STONES CROSS RD.
Rec. Grd.
Pav.
GOLDSEL RD.
Nursery
Fleetfoot Fm.
Sch.
GREEN CT. RD.
Peartrees
CROCKENHILL
Cemetery
BROADWAY
SEVEN ACRES
WEST VW. RD.
MAIN RD.
Cemy.
Cherry Orchard
EYNSFORD ROAD
Gosenhill Farm
SEVE
Petham Cott.
Petham Court
Football Ground
Wested Farm Cotts.
Cacketshill Wood
Wested Farm
Crouch Farm
Felma House
Crouch Farm Cottages
CROCKENHILL ROAD
CRAY ROAD
B258
WOODLANDS TER.
BRANSELL
The Mount
Hall
Middle Farm Nursery
TYLERS GREEN RD.
SOUNDS LODGE
OLD CHAPEL RD.
INGLENORTH CT.
CHURCH FARM CL.
BARNFIELD CL.
CHURCH ROAD
NEWPORTS
HARVEST WY.
WOODMOUNT
Willow Farm
DALTONS ROAD
Highcroft Hall

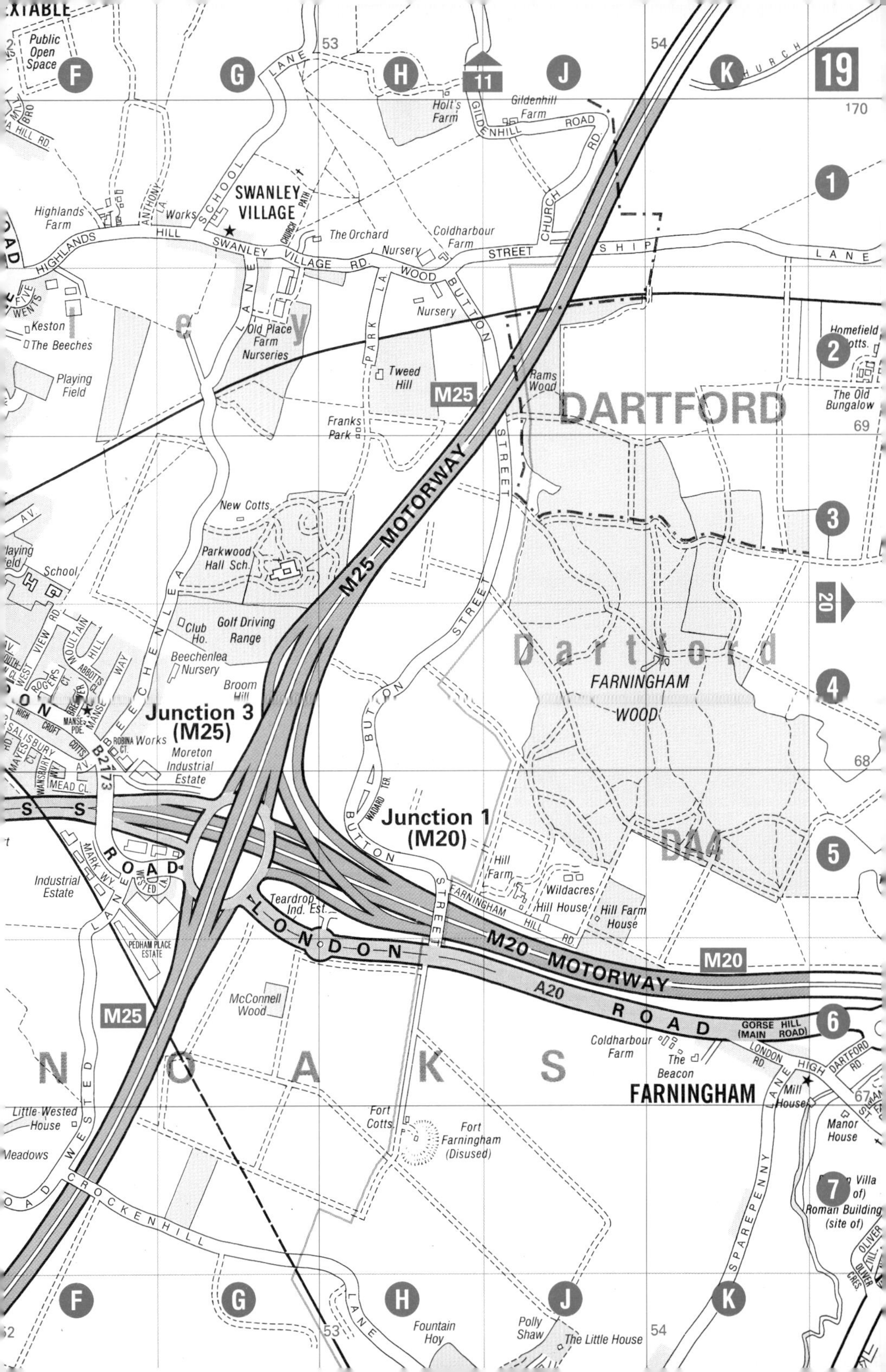
19
20
11
SWANLEY VILLAGE
Highlands Farm
Holt's Farm
Gildenhill Farm
GILDENHILL ROAD
CHURCH RD.
SCHOOL LANE
ANTHONY LA.
Works
CHURCH PATH
HIGHLANDS HILL
SWANLEY VILLAGE RD.
WOOD STREET
SHIP LANE
CHURCH
The Orchard
Coldharbour Farm
Nursery
Keston
The Beeches
Playing Field
FIVE WENTS
Old Place Farm Nurseries
PARK LA.
Tweed Hill
BUTTON STREET
Rams Wood
DARTFORD
Homefield Cotts.
The Old Bungalow
M25
Franks Park
M25 MOTORWAY
New Cotts.
Parkwood Hall Sch.
School
Club Ho.
Golf Driving Range
Beechenlea Nursery
BEECHENLEA LANE
Broom Hill
Dartford
FARNINGHAM WOOD
Junction 3 (M25)
Junction 1 (M20)
Moreton Industrial Estate
ROBINA CT.
Works
B2173
WADARD TER.
MEAD CL.
MAYES CL.
WANSBURY WY.
SALISBURY AV.
HIGH CROFT COTTS.
MANSE PDE.
MANSE WAY
ABBOTTS CL.
MOULTAIN HILL
WEST VIEW RD.
ROGERS CT.
DA4
Hill Farm
Wildacres
Hill House
Hill Farm House
FARNINGHAM HILL RD.
Industrial Estate
MARK WY.
WESTED LA.
LONDON ROAD
Teardrop Ind. Est.
PEDHAM PLACE ESTATE
M20 MOTORWAY
M20
A20 ROAD
GORSE HILL (MAIN ROAD)
LONDON RD.
HIGH ST.
DARTFORD RD.
McConnell Wood
Coldharbour Farm
The Beacon
FARNINGHAM
Mill House
Manor House
SEVENOAKS
Little Wested House
Meadows
WESTED LANE
CROCKENHILL ROAD
Fort Cotts.
Fort Farningham (Disused)
SPAREPENNY LANE
Roman Villa (site of)
Roman Building (site of)
OLIVER CRES.
LANE
Fountain Hoy
Polly Shaw
The Little House
F
G
H
J
K
1
2
3
4
5
6
7
53
54
170
69
68
67

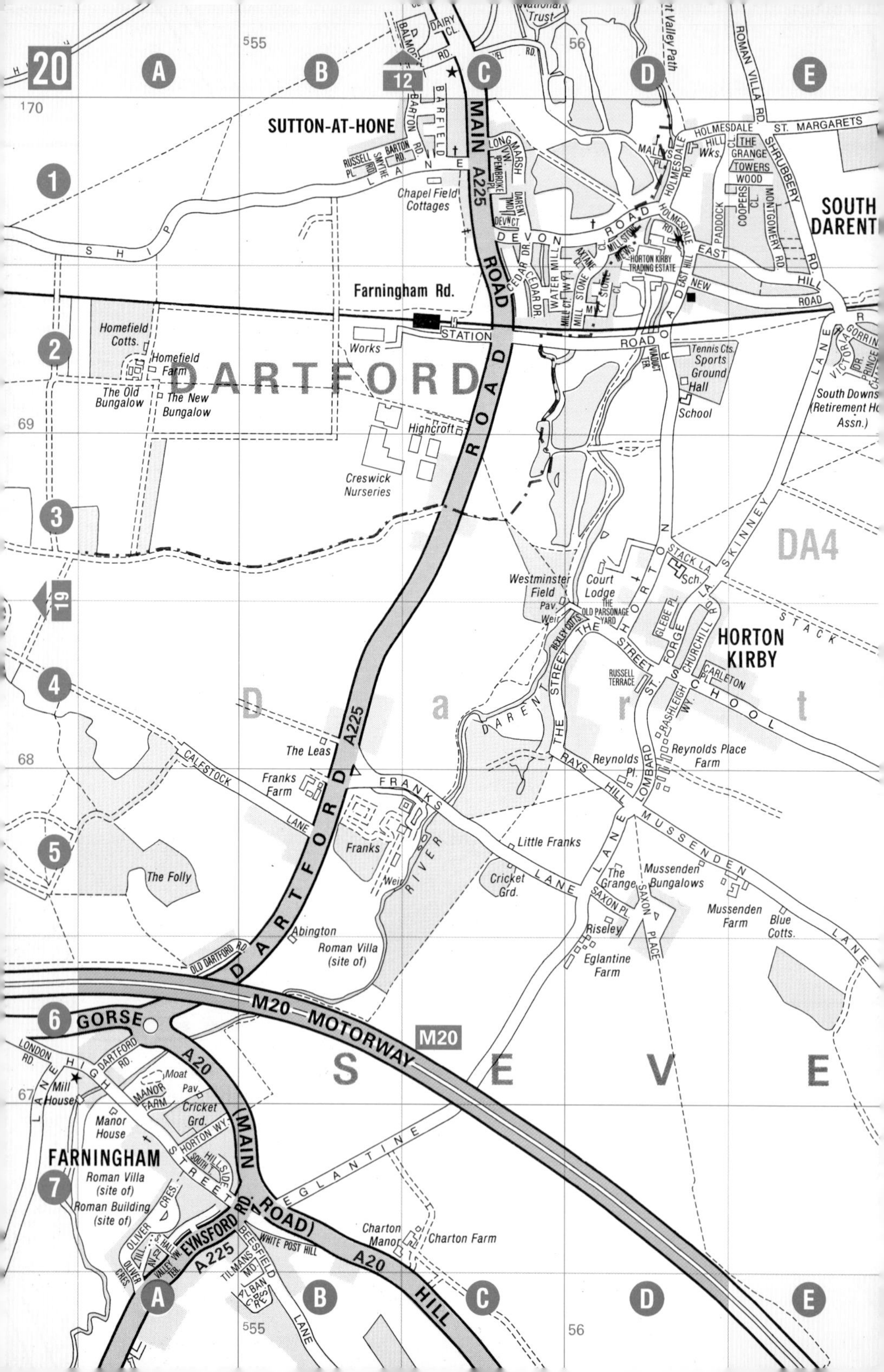

A
B
C
D
E
555
56
170
69
68
67
1
2
3
4
5
6
7
12
19
SUTTON-AT-HONE
SOUTH DARENT
DARTFORD
HORTON KIRBY
FARNINGHAM
DA4
MAIN A225 ROAD
DARTFORD A225 ROAD
M20 MOTORWAY
M20
A20 (MAIN ROAD)
A20 HILL
GORSE
SHIP LANE
Chapel Field Cottages
Farningham Rd.
STATION ROAD
Works
Homefield Cotts.
Homefield Farm
The Old Bungalow
The New Bungalow
Highcroft
Creswick Nurseries
DAIRY CL.
BARFIELD
BARTON RD.
RUSSELL PL.
SMYTHE RD.
LONG MARSH VW.
PEMBROKE PL.
DARENT MD.
DEVON CT
DEVON ROAD
CEDAR DR.
WATER MILL WY.
MILL STONE CL.
MILL CT.
AXTANE CL.
MILLSTONE MEWS
HORTON KIRBY TRADING ESTATE
HOLMESDALE HILL
HOLMESDALE RD.
MALLYS PL.
Wks.
THE GRANGE
TOWERS WOOD
COOPERS CL.
PADDOCK
MONTGOMERY RD.
SHRUBBERY RD.
ST. MARGARETS
ROMAN VILLA RD.
EAST HILL
NEW ROAD
VIADUCT TER.
HORTON ROAD
Tennis Cts.
Sports Ground
Hall
School
South Downs (Retirement Ho Assn.)
VICTORIA
PRINCE
GORRIN
LANE
SKINNEY LA.
STACK LA
STACK
Sch.
Westminster Field
Pav.
Weir
Court Lodge
THE OLD PARSONAGE YARD
BEXLEY COTTS
THE STREET
GLEBE PL.
FORGE
CHURCHILL RD.
CARLETON PL.
RUSSELL TERRACE
SCHOOL
RASHLEIGH WY.
Reynolds Place Farm
Reynolds Pl.
LOMBARD ST.
RAYS HILL
DARENT
The Leas
Franks Farm
FRANKS LANE
Franks
RIVER
Weir
Little Franks
Cricket Grd.
CALFSTOCK LANE
The Folly
LOMBARD LANE
The Grange
SAXON PL.
SAXON PLACE
Mussenden Bungalows
MUSSENDEN LANE
Mussenden Farm
Blue Cotts.
Riseley
Eglantine Farm
Abington
Roman Villa (site of)
OLD DARTFORD RD.
EGLANTINE
LONDON RD.
HIGH STREET
DARTFORD RD.
Mill House
Moat
Pav.
MANOR FARM
Cricket Grd.
Manor House
HORTON WY.
HILLSIDE
Roman Villa (site of)
Roman Building (site of)
OLIVER CRES.
EYNSFORD RD.
A225
VALLEY VW. TER.
WHITE POST HILL
BEESFIELD LANE
TILMANS MD.
ALBAN CRES.
Charton Manor
Charton Farm
National Trust
Valley Path
S
E
V
E
D
a
r
t

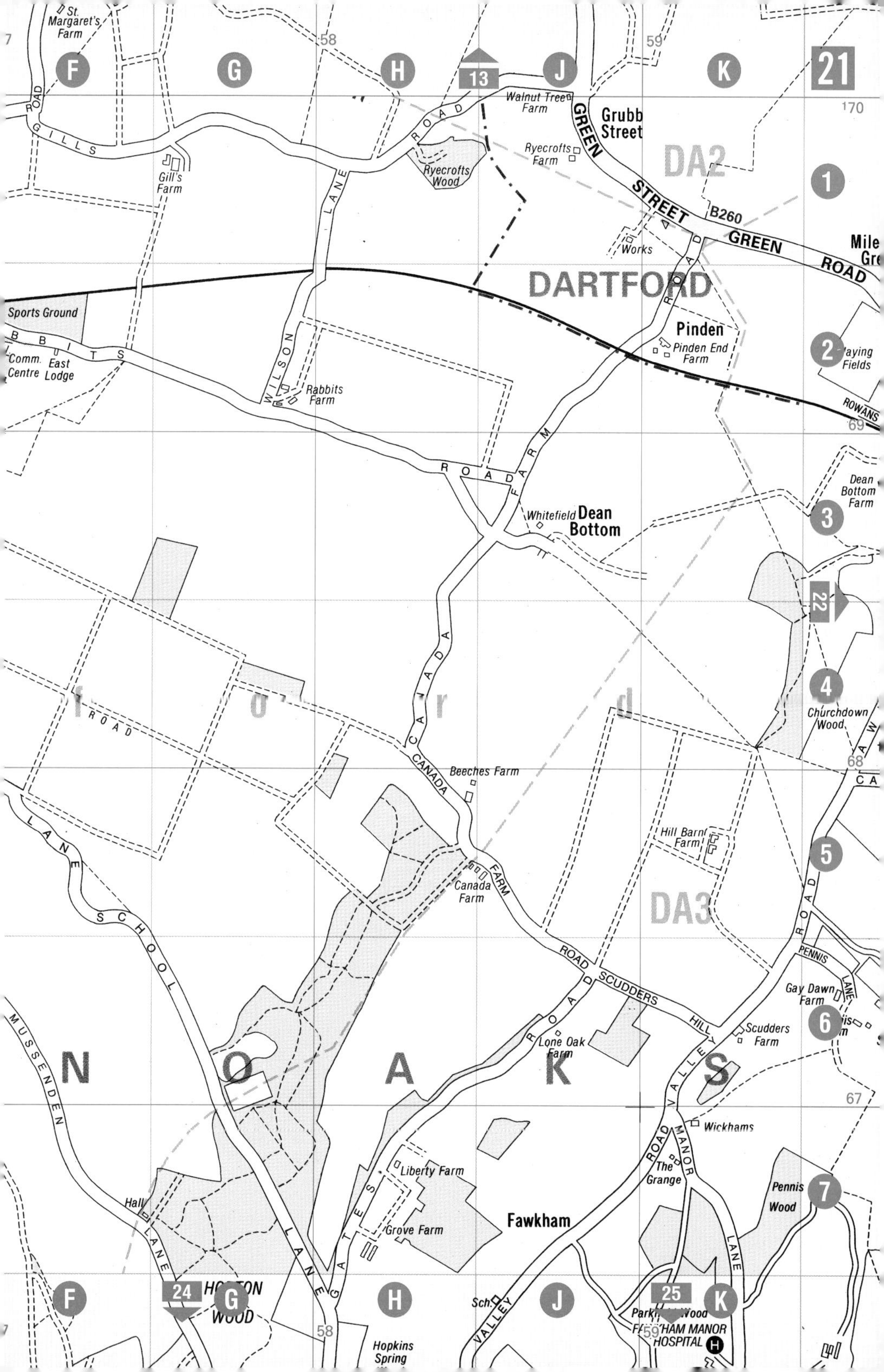
21
St. Margaret's Farm
GILLS ROAD
Gill's Farm
RYECROFTS ROAD
Ryecrofts Wood
13
Walnut Tree Farm
Ryecrofts Farm
GREEN STREET
Grubb Street
DA2
B260
GREEN STREET GREEN ROAD
Works
DARTFORD
Mile Gre
Sports Ground
RABBITS ROAD
Comm. Centre
East Lodge
WILSON LANE
Rabbits Farm
Pinden
Pinden End Farm
Playing Fields
ROWANS
FARM ROAD
Dean Bottom Farm
Whitefield
Dean Bottom
22
ROAD
CANADA
Churchdown Wood
Beeches Farm
CANADA FARM ROAD
Canada Farm
Hill Barn Farm
DA3
SCHOOL LANE
ROAD
PENNIS LANE
Gay Dawn Farm
SCUDDERS HILL ROAD
Scudders Farm
Lone Oak Farm
MUSSENDEN
N O A K S
VALLEY
Wickhams
MANOR ROAD
The Grange
Pennis Wood
Liberty Farm
Hall
Grove Farm
Fawkham
GATES
LANE
24
HORTON WOOD
Sch.
25
Parkfield Wood
FAWKHAM MANOR HOSPITAL
Hopkins Spring
58
59
170
69
68
67

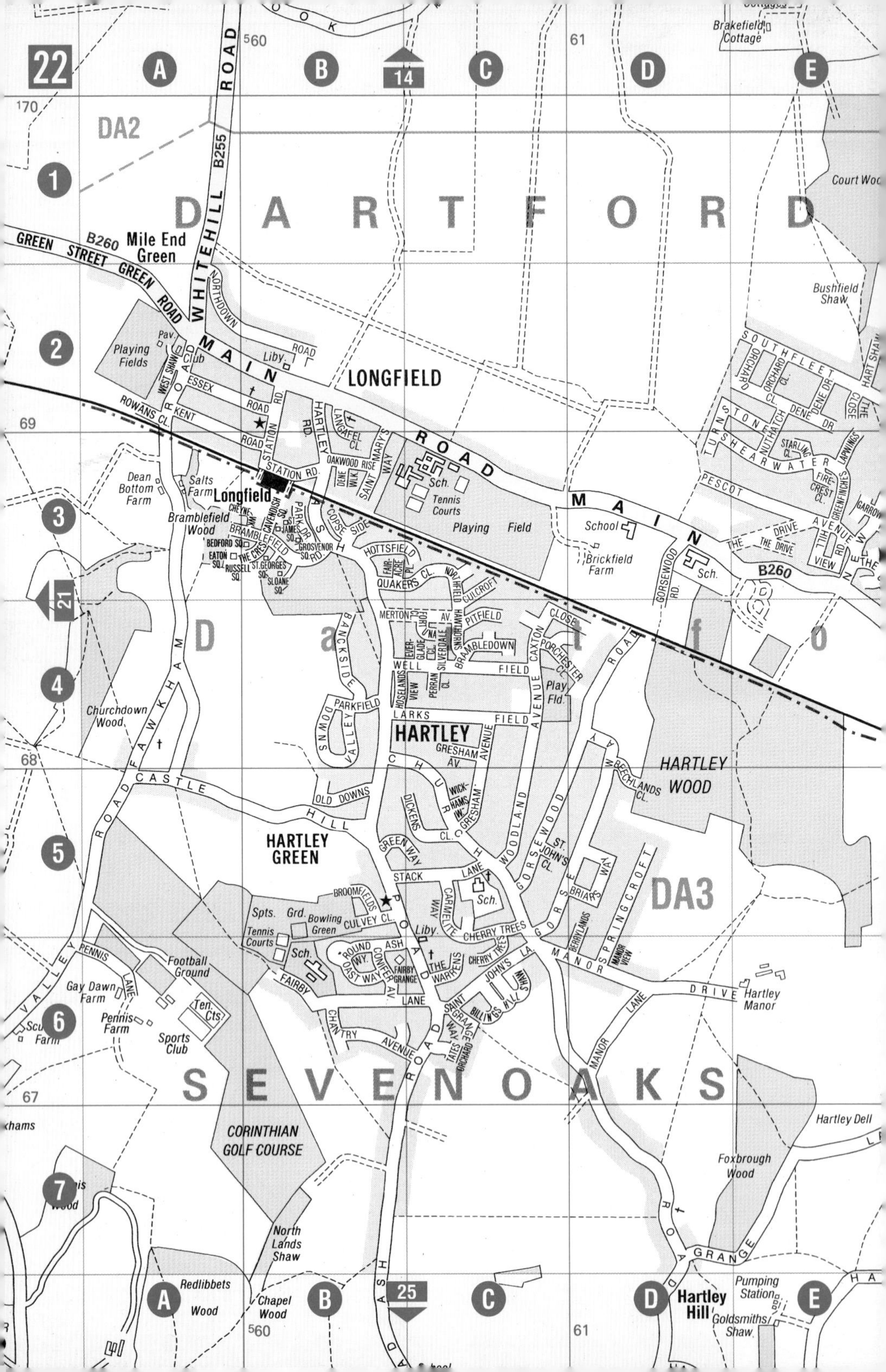

A
B
C
D
E
14
25
21
560
61
170
69
68
67
1
2
3
4
5
6
7
DA2
DA3
DARTFORD
SEVENOAKS
Dartford
LONGFIELD
Longfield
HARTLEY
HARTLEY GREEN
Mile End Green
Brakefield Cottage
Court Wood
Bushfield Shaw
WHITEHILL ROAD
B255
B260
GREEN STREET GREEN ROAD
MAIN ROAD
NORTHDOWN ROAD
Playing Fields
Pav.
Club
WEST SHAW
ESSEX ROAD
KENT ROAD
ROWANS CL.
STATION RD.
STATION ROAD
Liby.
HARTLEY RD.
LANGAFEL CL.
SAINT MARY'S WAY
OAKWOOD RISE
DENE WLK.
Sch.
Tennis Courts
Playing Field
School
Brickfield Farm
GORSEWOOD RD.
THE DRIVE
SOUTHFLEET AVENUE
ORCHARD CL.
DENE DR.
TURNSTONE
NUTHATCH
SHEARWATER
STARLING CL.
LAPWINGS
FIRECREST CL.
GREENFINCHES
PESCOT
HART SHAW
CLOSE
HILL RD.
VIEW
Dean Bottom Farm
Salts Farm
Bramblefield Wood
CHEYNE WK.
BRAMBLEFIELD
CAVENDISH SQ.
PARK DR.
ST. JAMES SQ.
GROSVENOR RD.
BEDFORD SQ.
EATON SQ.
RUSSELL SQ.
THE CRES.
ST. GEORGES SQ.
SLOANE SQ.
ASH
COPSE SIDE
HOTTSFIELD
FAIRACRE PL.
QUAKERS CL.
NORTHFIELD
CULCROFT
MERTON CL.
FORTUNA CL.
AV.
HAWTHORNS
PITFIELD
SILVERDALE
BRAMBLEDOWN
CLOSE
CAXTON
PORCHESTER CL.
BANCKSIDE
EVERGLADE CL.
WELL FIELD
HOSELANDS VIEW
PERRAN CL.
Play Fld.
PARKFIELD
LARKS FIELD
AVENUE
VALLEY DOWNS
GRESHAM AV.
CHURCH
WICKHAMS W.
GRESHAM
DICKENS CL.
WOODLAND AVENUE
GORSEWOOD
ROAD
WAY
BEECHLANDS CL.
HARTLEY WOOD
ST. JOHN'S CL.
BRIARS WAY
SPRINGCROFT
BERRYLANDS
MANOR VIEW
OLD DOWNS
CASTLE HILL
FAWKHAM ROAD
Churchdown Wood
GREEN WAY
STACK LANE
BROOMFIELDS
CULVEY CL.
Spts. Grd.
Bowling Green
Tennis Courts
CARMELITE WAY
CHERRY TREES
ROUND WY.
OAST WAY
CONIFER AV.
FAIRBY GRANGE
THE WARRENS
JOHN'S LA.
HILL SHAW
SAINT JOHN'S
BILLINGS
GRANGE WAY
TATES
ORCHARD
FAIRBY LANE
CHANTRY AVENUE
MANOR DRIVE
MANOR LANE
Hartley Manor
VALLEY
PENNIS LANE
Football Ground
Gay Dawn Farm
Pennis Farm
Ten. Cts.
Sports Club
CORINTHIAN GOLF COURSE
Hartley Dell
Foxbrough Wood
North Lands Shaw
Redlibbets Wood
Chapel Wood
GRANGE ROAD
Hartley Hill
Pumping Station
Goldsmiths Shaw

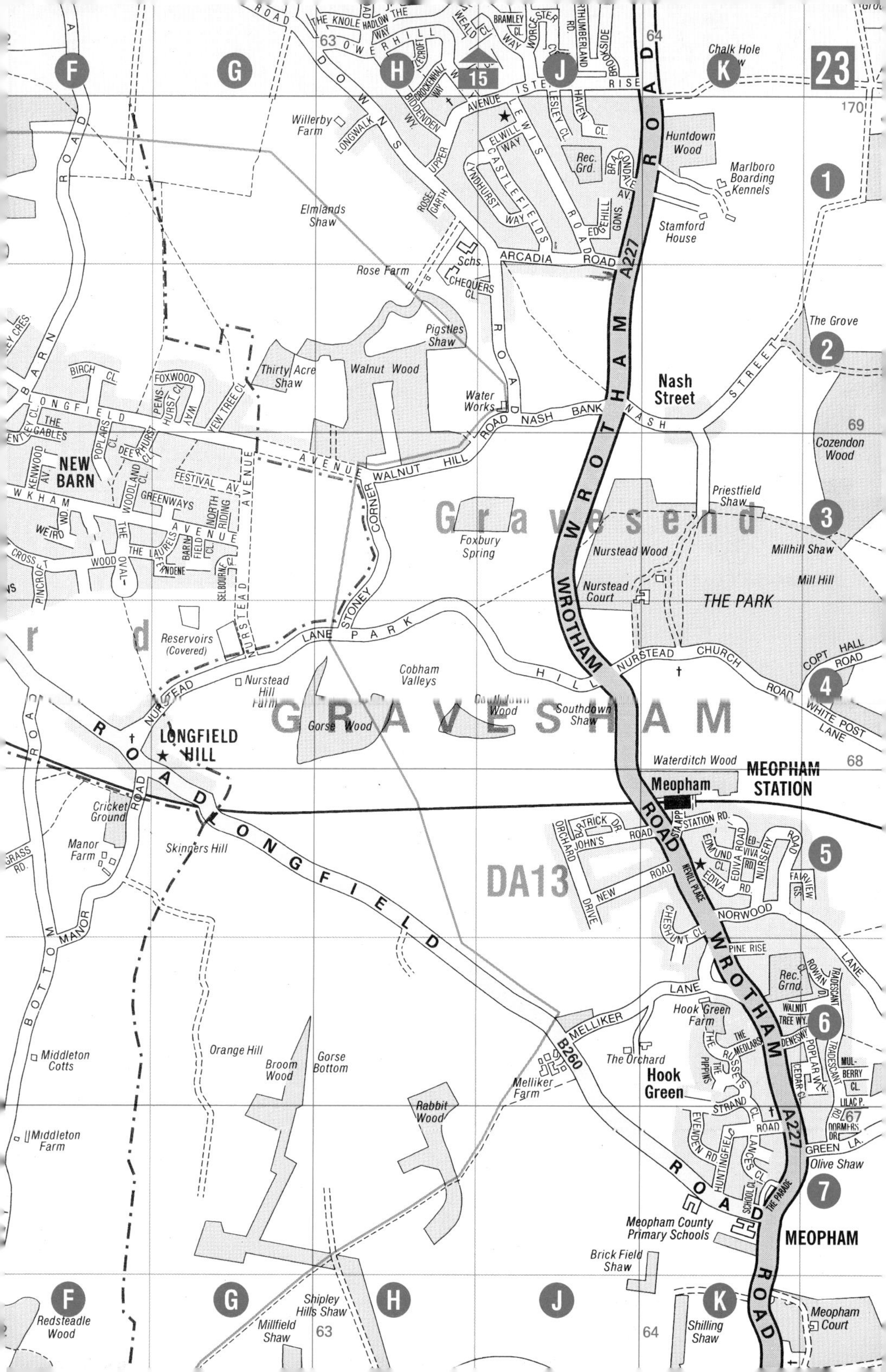
F
G
H
J
K
15
63
64
170
Chalk Hole
THE KNOLE
HADLOW WAY
BRAMLEY CL.
WORCESTER CL.
BROOKSIDE
RISE
Willerby Farm
LONGWALK
BIDDENDEN WY.
UPPER AVENUE
ELWILL WAY
LEWIS ROAD
LESLEY CL.
HAVEN CL.
Rec. Grd.
CASTLEFIELDS
LYNDHURST WAY
ROSE-GARTH
EDGEHILL GDNS.
Huntdown Wood
Marlboro Boarding Kennels
Stamford House
Elmlands Shaw
ARCADIA ROAD
A227
Schs.
CHEQUERS CL.
Rose Farm
The Grove
Pigstles Shaw
Walnut Wood
Thirty Acre Shaw
Water Works
Nash Street
NASH BANK
NASH STREET
BIRCH CL.
FOXWOOD WAY
PENSHURST CL.
YEW TREE CL.
LONGFIELD AVENUE
THE GABLES
POPLARS CL.
DEERHURST CL.
NEW BARN
KENWOOD AV.
WOODLAND CL.
FESTIVAL AV.
GREENWAYS
NORTH RIDING
AVENUE
WALNUT HILL ROAD
69
Cozendon Wood
Priestfield Shaw
WEIRD WD.
THE OVAL
THE LAURELS
BARNFIELD CL.
WOOD
SELBOURNE CL.
PINCROFT WOOD
Gravesend
Foxbury Spring
STONEY CORNER
Nurstead Wood
Millhill Shaw
Mill Hill
Nurstead Court
THE PARK
Reservoirs (Covered)
NURSTEAD AVENUE
PARK LANE
Cobham Valleys
NURSTEAD HILL
NURSTEAD CHURCH ROAD
COPT HALL ROAD
WHITE POST LANE
Nurstead Hill Farm
Southdown Shaw
Gorse Wood
GRAVESHAM
LONGFIELD HILL
Waterditch Wood
Meopham
MEOPHAM STATION
68
Cricket Ground
Manor Farm
Skinners Hill
LONGFIELD ROAD
ORCHARD DRIVE
JOHN'S ROAD
STATION RD.
EDMUND CL.
EDIVA RD.
NURSERY ROAD
FAIRVIEW GS.
DA13
NEW ROAD
NEVILL PLACE
NORWOOD LANE
CHESHUNT CL.
PINE RISE
WROTHAM ROAD
Rec. Grnd.
ROWAN CL.
TRADESCANT DR.
BOTTOM MANOR
MELLIKER LANE
Hook Green Farm
WALNUT TREE WY.
DENESWAY
POPLAR WK.
MULBERRY CL.
LILAC P.
Orange Hill
Broom Wood
Gorse Bottom
B260
The Orchard
Hook Green
THE MEDLARS
THE RUSSETS
THE PIPPINS
CEDAR CL.
Middleton Cotts
Melliker Farm
Rabbit Wood
STRAND CL.
EVENDEN RD.
HUNTINGFIELD
LANCES CL.
DORMERS DR.
GREEN LA.
67
Middleton Farm
Olive Shaw
SCHOOL CL.
THE PARADE
Meopham County Primary Schools
MEOPHAM
Brick Field Shaw
Shipley Hills Shaw
Redsteadle Wood
Millfield Shaw
Shilling Shaw
Meopham Court
1
2
3
4
5
6
7

24
20
21
57
58
66
165
64
63
Fawkham
Grove Farm
Hall
MUSSENDEN LANE
HORTON WOOD
THREE GATES ROAD
Hopkins Spring Wood
Hatchfield Wood
VALLEY ROAD
Sch.
M20
DA4
Dartford
Speedgate House
CALAIS COTTS.
White House Farm
Speed Gate
SPEEDGATE HILL
Choaks Farm
GABRIELSPRING ROAD
Gabrielspring Wood
M20 MOTORWAY
Choaks Wood
EAST SUN
Hazlewood
Birchgrove
SCRATCHERS
MICHAELS
FAWKHAM GREEN
FAWKHAM RD.
SMALL GRAINS
WOODMAN VILLAS
FAIRVIEW
HATCH
Greenlands
Cherrywood
The Haven
GREEN
Gorse Hill Farm
GORSE HILL (MAIN ROAD)
A20
SEVENOAKS
DA3
Ashen Grove
BRANDS HATCH RD.
Brands Hatch Place
Saxten's Wood
Cage's Wood
ROGERS WOOD LANE
GALLOWS WOOD
FAWKHAM LANE
Shetley Shaws
Grand Stand
Vineyard Shaw
Eastwood
Woodlands
Rogers Wood
Piggeries
Offices
Gallows Wood
BRANDS HATCH MOTOR RACING CIRCUIT
Kingsdown Farm
LONDON ROAD
HEVER AV.
Cowless Shaw
HEVER AVENUE
SYMONDS CL.
GILLIES RD.
VIKING WAY
Grove Wood
FAWKHAM ROAD
BLUE CHALET INDUSTRIAL PARK
PHELPS CL.
STACKLANDS CL.
OAKLANDS CL.
Maplebank Nursery
LOVELACE CL.
REGENCY CL.
MILLFIELD RD.
MILLFIELD ROAD
SHERBOURNE CL.
NEAL
HEVER CT.
PRIM. MULTON MEETT.
Westfield Cotts.
KNATTS VALLEY ROAD
BOTSOM LANE
FLORENCE FM. MOBILE HOME PARK
HOWELLS CL.
PENSHURST CL.
ASTOR RD.
Broomfield Wood
THE BRIARS
WHITEGATES AV.
WOODVIEW CL.
MULTON RD.
HEVER WOOD RD.
MITCHEM CL.
HEVER RD.
Kingsdown House
CLEARWAYS BUSINESS EST.
A20
Rec. Grnd.
CHURCH WOOD
CLEARWAY CARAVAN PARK
Springham's Cotts.
Sidehilly Wood
RUSHETTS RD.
Crowhurst Farm
CHURCH CL.
CHANCEL CL.
CHURCH RD.
WEST KINGSDOWN
KAYSLAND CARAVAN PARK
KINGSINGFIELD CL.
KINGSINGFIELD RD.
BAKERS AV.
SOUTHFIELDS ROAD
LONDON ROAD
ASH TREE DR.
ASH TREE CL.
BIRCHWAY
WARLAND RD.
CROWHURST LANE
Lib. Pav.
Sports Gnd.
MEADOW BANK
POUND BANK CL.
BLACK C.
WEST KINGSDOWN INDUSTRIAL EST.
VERNA CL.
PORTOBELLO PDE.
Richardson's Farm
Ashen Shaw
Inges Shaw

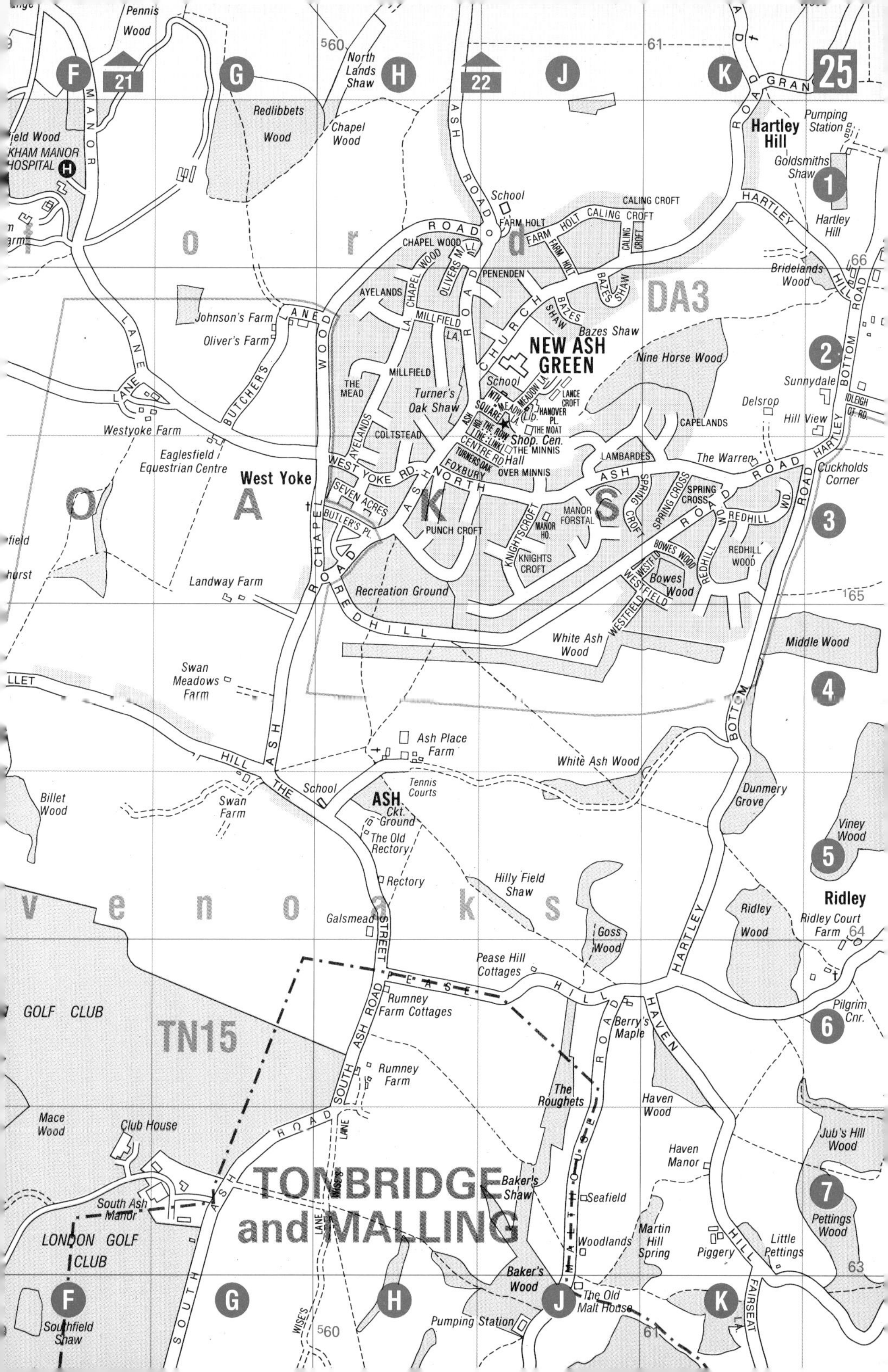

25
NEW ASH GREEN
West Yoke
ASH
Hartley Hill
Ridley
DA3
TN15
TONBRIDGE and MALLING
Sevenoaks
Redlibbets Wood
Chapel Wood
North Lands Shaw
Pennis Wood
Johnson's Farm
Oliver's Farm
Westyoke Farm
Eaglesfield Equestrian Centre
Landway Farm
Recreation Ground
Swan Meadows Farm
Billet Wood
Swan Farm
Ash Place Farm
Tennis Courts
Ckt. Ground
The Old Rectory
Rectory
Galsmead
Hilly Field Shaw
Goss Wood
Pease Hill Cottages
Rumney Farm Cottages
Rumney Farm
GOLF CLUB
Mace Wood
Club House
South Ash Manor
LONDON GOLF CLUB
Southfield Shaw
The Roughets
Baker's Shaw
Baker's Wood
Seafield
Woodlands
Martin Hill Spring
The Old Malt House
Pumping Station
Haven Wood
Haven Manor
Berry's Maple
Piggery
Little Pettings
Pettings Wood
Jub's Hill Wood
Pilgrim Cnr.
Ridley Court Farm
Ridley Wood
Viney Wood
Dunmery Grove
White Ash Wood
Middle Wood
Cuckholds Corner
Hill View
Sunnydale
Delsrop
Bridelands Wood
Goldsmiths Shaw
Pumping Station
Nine Horse Wood
Bazes Shaw
Turner's Oak Shaw
Shop. Cen.
Hall
School
Bowes Wood
Redhill Wood
The Warren

INDEX TO STREETS

HOW TO USE THIS INDEX

1. Each street name is followed by its Posttown or Postal Locality and then by its map reference; e.g. Abbey Rd. Grav —1D **16** is in the Gravesend Posttown and is to be found in square 1D on page **16**. The page number being shown in bold type.
   A strict alphabetical order is followed in which Av., Rd., St., etc. (though abbreviated) are read in full and as part of the street name; e.g. Bank St. appears after Bankside Clo. but before Barfield.

2. Streets and a selection of Subsidiary names not shown on the Maps, appear in the index in *Italics* with the thoroughfare to which it is connected shown in brackets; e.g. *Barnard Ct. Dart —6C **4** (off Clifton Wlk.)*

3. With the now general usage of Postcodes for addressing mail, it is not recommended that this index is used for such a purpose.

GENERAL ABBREVIATIONS

All : Alley
App : Approach
Arc : Arcade
Av : Avenue
Bk : Back
Boulevd : Boulevard
Bri : Bridge
B'way : Broadway
Bldgs : Buildings
Bus : Business
Cen : Centre
Chu : Church
Chyd : Churchyard
Circ : Circle
Cir : Circus
Clo : Close
Comn : Common
Cotts : Cottages
Ct : Court
Cres : Crescent
Dri : Drive
E : East
Embkmt : Embankment
Est : Estate
Gdns : Gardens
Ga : Gate
Gt : Great
Grn : Green
Gro : Grove
Ho : House
Ind : Industrial
Junct : Junction
La : Lane
Lit : Little
Lwr : Lower
Mnr : Manor
Mans : Mansions
Mkt : Market
M : Mews
Mt : Mount
N : North
Pal : Palace
Pde : Parade
Pk : Park
Pas : Passage
Pl : Place
Rd : Road
S : South
Sq : Square
Sta : Station
St : Street
Ter : Terrace
Up : Upper
Vs : Villas
Wlk : Walk
W : West
Yd : Yard

POSTTOWN AND POSTAL LOCALITY ABBREVIATIONS

Ash : Ash
B'hurst : Barnehurst
Bean : Bean
Bex : Bexley
Bexh : Bexleyheath
Cobh : Cobham (Kent)
Cray : Crayford
Crock : Crockenhill
Dart : Dartford
E Til : East Tilbury
Eri : Erith
Eyns : Eynsford
Fair : Fairseat
F'ham : Farningham
Fawk : Fawkham
Grav : Gravesend
Grays : Grays
Grnh : Greenhithe
Grn St : Green Street Green
Hart : Hartley
Hawl : Hawley
Hex : Hextable
Hods : Hodsoll Street
Hort K : Horton Kirby
Knat : Knatts Valley
Long : Longfield
Meop : Meopham
New Ash : New Ash Green
N'fleet : Northfleet
N Hth : Northumberland Heath
Sev : Sevenoaks
Shorne : Shorne
Sidc : Sidcup
Sole S : Sole Street
S Dar : South Darenth
S'fleet : Southfleet
Stans : Stansted
S at H : Sutton at Hone
Swan : Swanley
Swans : Swanscombe
Til : Tilbury
W King : West Kingsdown
W Til : West Tilbury
Wilm : Wilmington

INDEX TO STREETS

Abbey Pl. Dart —5J **3**
Abbey Rd. Grav —1D **16**
Abbey Rd. Grnh —5K **5**
Abbots Field. Grav —6B **16**
Abbotts Clo. Swan —4F **19**
Acacia Ct. Grav —7K **7**
Acacia Rd. Dart —1J **11**
Acacia Rd. Grnh —6F **5**
Acacia Wlk. Swan —2C **18**
Acorn Ind. Pk. Dart —5E **2**
Acorn Rd. Dart —5E **2**
Acworth Pl. Dart —6H **3**
Adelaide Rd. Til —1J **7**
Admirals Wlk. Grnh —5J **5**
Aintree Clo. Grav —3A **16**
Airedale Clo. Dart —1D **12**
Alamein Gdns. Dart —7E **4**
Alamein Rd. Swans —6A **6**
Alanbrooke. Grav —7B **8**
Alan Clo. Dart —4H **3**
Alban Cres. F'ham —7B **20**
Albany Rd. Til —1K **7**
Alberta Rd. Eri —1B **2**
Albert Rd. Bex —6A **2**
Albert Rd. Dart —3H **11**
Albert Rd. Swans —6C **6**
Albion Pde. Grav —6C **8**
Albion Rd. Grav —7B **8**
Albion Ter. Grav —6B **8**
Alconbury. Bexh —5A **2**
Alderney Rd. Eri —1F **3**
Alder Way. Swan —2C **18**
Alexander Rd. Grnh —5K **5**
Alexandra Clo. Swan —2D **18**
Alexandra Rd. Grav —7D **8**
Alexandra Rd. Til —2J **7**
Alfan La. Dart —5C **10**
Alfred Ho. Grav —1J **15**
Alfred Pl. Grav —1J **15**
Alfred Rd. Dart —4K **11**
(in two parts)
Alfred Rd. Grav —2A **16**
Alkerden La. Grnh & Swans —6K **5**
Allendale Clo. Dart —1E **12**
Allington Clo. Grav —1E **16**
All Saints Clo. Swans —5C **6**
All Saints Rd. Grav —1J **15**
Alma Rd. Swans —5C **6**
Alma, The. Grav —4E **16**
Almond Dri. Swan —2C **18**
Almond Rd. Dart —7D **4**
Ames Rd. Swans —6B **6**
Anchor Boulevd. Dart —4D **4**
Andrew Clo. Dart —5C **2**
Anglesea Cen. Grav —6A **8**
Anne of Cleves Rd. Dart —5J **3**
Anthony La. Swan —1F **19**
Appledore Av. Bexh —1B **2**
Applegarth Ho. Eri —2E **2**
Appleshaw Clo. Grav —5K **15**
Apsledene. Grav —6C **16**
Arcadia Rd. Grav —1J **23**
Archer Way. Swan —2E **18**
Argles Clo. Grnh —5H **5**
Ariel Clo. Grav —4E **16**
Arkwright Rd. Til —2K **7**
Armoury Dri. Grav —7B **8**
Arnold Pl. Til —1B **8**
Arnold Rd. Grav —2C **16**
Arnold's La. S at H —6A **12**
Artemis Clo. Grav —7D **8**
Arthur St. Eri —1E **2**
Arthur St. Grav —7K **7**
Arthur St. W. Grav —7K **7**
Artillery Row. Grav —1B **16**
Arundel Rd. Dart —4H **3**
Ascot Rd. Grav —3A **16**
Ash Clo. Swan —2B **18**
Ashen Dri. Dart —7F **3**
Ash Ho. New Ash —2H **25**
Ash Rd. Ash & New Ash —4G **25**
Ash Rd. Dart —1J **11**
Ash Rd. Grav —4B **16**
Ash Rd. Hart —3B **22**
Ash Rd. Hawl —4A **12**
Ash Tree Clo. W King —7C **24**
Ash Tree Dri. W King —7C **24**
Ashurst Clo. Dart —3E **2**
Ashwood Pl. Bean —3J **13**
Aspdin Rd. Grav —3G **15**
Aspen Clo. Swan —1C **18**
Astor Rd. W King —6B **24**
Astra Dri. Grav —5D **16**
Attlee Dri. Dart —5B **4**
Auckland Clo. Til —2K **7**
Augustine Rd. Grav —7B **8**
Austen Clo. Grnh —6K **5**
Austen Clo. Til —2B **8**
Austen Gdns. Dart —4A **4**
Austin Rd. Grav —1J **15**
Avenue, The. Grav —7K **7**
Avenue, The. Grnh —5J **5**
Avon Clo. Grav —2C **16**
Avonmouth Rd. Dart —5J **3**
Axtane. S'fleet —7C **14**
Axtane Clo. S at H —1D **20**
Ayelands. New Ash —2H **25**
Ayelands La. New Ash —3H **25**
Azalea Dri. Swan —4C **18**

Bader Wlk. Grav —3J **15**
Badlow Clo. Eri —1D **2**
Baker Beal Ct. Bexh —3A **2**
Bakerhill Clo. Grav —4J **15**
Bakers Av. W King —7B **24**
Baldwyn's Pk. Bex —2C **10**
Baldwyn's Rd. Bex —2C **10**
Balmoral Rd. S at H —7C **12**
Banbury Vs. S'fleet —6C **14**
Banckside. Hart —4B **22**
Bank Ct. Dart —6K **3**
Bankside. N'fleet —6F **7**
Bankside Clo. Bex —4C **10**
Bank St. Grav —6A **8**
Barfield. S at H —1C **20**
Barham Rd. Dart —7B **4**
*Barnard Ct. Dart —6C **4***
(off Clifton Wlk.)
*Barnard Ct. Dart —6C **4***
(off Osborne Rd.)
Barnehurst Av. Eri & Bexh —1B **2**
Barnehurst Clo. Eri —1B **2**
Barnehurst Rd. Bexh —2B **2**
Barn End Dri. Dart —4H **11**
Barn End La. Dart —5H **11**
Barnes Cray Rd. Dart —4F **3**
Barnett Clo. Eri —2E **2**
Barnfield Clo. Long —3G **23**
Barnfield Clo. Swan —7B **18**
Barnham Clo. Grav —1E **16**
Barrack Row. Grav —6A **8**
Barr Bank Ter. Wilm —4H **11**
Barr Rd. Grav —2E **16**
Bartholomew Way. Swan —3D **18**
Bartlett Rd. Grav —1K **15**
Barton Rd. S at H —1C **20**
Bath Rd. Dart —7G **3**
Bath St. Grav —6A **8**
Bayard Ct. Bexh —4A **2**
Bayly Rd. Dart —6B **4**
Bazes Shaw. New Ash —2J **25**
(in two parts)
Beacon Dri. Bean —3J **13**
Beacon Rd. Eri —1G **3**
Beaconsfield Rd. Bex —2D **10**
Bean Hill Cotts. Grn St —4K **13**
(in two parts)
Bean La. Bean —2J **13**
Bean Rd. Grnh —1H **13**
Beatrice Gdns. Grav —2H **15**
Beaumont Dri. Grav —7H **7**
Beckley Clo. Grav —2G **17**
Becton Pl. Eri —1A **2**
Bedale Wlk. Dart —1C **12**
Bedford Rd. Dart —7B **4**
Bedford Rd. Grav —2J **15**
Bedford Sq. Long —3B **22**
Beech Av. Swan —4E **18**
Beechcroft Av. Bexh —1C **2**
Beechenlea La. Swan —4F **19**
Beeches, The. Til —2A **8**
*Beech Haven Ct. Dart —5C **2***
(off London Rd.)
Beechlands Clo. Hart —5D **22**
Beech Rd. Dart —1J **11**
Beech Wlk. Dart —4F **3**
Beesfield La. F'ham —7B **20**
*Beeston Ct. Dart —6C **4***
(off Hardwick Cres.)
Beeton Clo. Grnh —5J **5**
Bell Clo. Grnh —5G **5**
Bellman Av. Grav —1D **16**
Belmont Rd. Eri —1A **2**
Beltana Dri. Grav —4D **16**
Belvedere Clo. Grav —1B **16**
Bennett Ho. Grav —3J **15**
Bennett Way. Dart —4E **12**
Bentley Clo. Long —3F **23**
Bentley St. Grav —6B **8**
Bentley St. Ind. Est. Grav —6C **8**
Beresford Rd. Grav —7H **7**
Berkeley Ct. Swan —4D **18**
Berkeley Cres. Dart —1A **12**
Berkley Cres. Grav —6B **8**
Berkley Rd. Grav —6A **8**
Bermuda Rd. Til —2K **7**
Bernard St. Grav —6A **8**
Berrylands. Hart —6D **22**
Best Ter. Swan —5B **18**
Betsham Rd. S'fleet —5A **14**
Betsham Rd. Swans —7B **6**
Beult Rd. Dart —4F **3**
Bevan Pl. Swan —4E **18**
Bevans Clo. Grnh —6K **5**
Beverley Rd. Bexh —2B **2**
Bevis Clo. Dart —7D **4**
Bexley Clo. Dart —5D **2**
Bexley Cotts. Hort K —4D **20**
Bexley High St. Bex —7A **2**
Bexley La. Dart —5D **2**
Bexley Rd. Eri —1B **2**
(in two parts)
Biddenden Way. Grav —7H **15**
Billet Hill. Ash —4F **25**
Billings Hill Shaw. Hart —6C **22**
Birch Clo. Long —2F **23**
Birches, The. Swan —2D **18**
Birchington Clo. Bexh —1A **2**
Birch Pl. Grnh —6F **5**
Birchway. W King —7C **24**
Birchwood Dri. Dart —4D **10**
Birchwood Pde. Wilm —4D **10**
Birchwood Pk. Av. Swan —3D **18**
Birchwood Rd. Swan & Dart —1B **18**
Birling Rd. Eri —1C **2**
Birtrick Dri. Meop —5J **23**
Bishops Ct. Grnh —5G **5**
Blackmans Clo. Dart —1H **11**
Blackthorn Clo. W King —7C **24**
Blake Gdns. Dart —4A **4**
Blake Way. Til —2B **8**
Blenheim Clo. Dart —6H **3**
Blenheim Gro. Grav —7B **8**
Blenheim Rd. Dart —6H **3**
Bligh Rd. Grav —6K **7**
Blue Chalet Ind. Pk. W King —6A **24**
Bodle Av. Swans —7B **6**
Boleyn Way. Swans —7B **6**
Bonaventure Ct. Grav —4E **16**
Bondfield Wlk. Dart —3A **4**
Bonney Way. Swan —2D **18**
Borland Clo. Grnh —5H **5**
Botany Rd. Grav —4D **6**
Botsom La. W King —6A **24**
Bott Rd. Dart —4A **12**
Boucher Dri. Grav —3J **15**
*Boundary Houses. Grav —1J **15***
(off Victoria Rd.)
Boundary St. Eri —1E **2**
Bourne Ind. Pk., The. Dart —5D **2**
Bourne Mead. Bex —5C **2**
Bourne Pde. Bex —7A **2**
Bourne Rd. Bex & Dart —7A **2**
Bourne Rd. Grav —2E **16**
Bourne Way. Swan —3B **18**
Bow Arrow La. Dart —6B **4**
Bower Rd. Swan —7F **11**
Bowers Av. Grav —4J **15**
*Bowes Ct. Dart —6C **4***
(off Osborne Rd.)
Bowesden La. Shorne —7K **17**
Bowes Wood. New Ash —3K **25**
Bowman's Rd. Dart —7E **2**
Bown Clo. Til —2A **8**
Bowness Rd. Bexh —2A **2**
Brackendene. Dart —4D **10**

Bracondale Av. Grav —1J 23
Bradbourne Rd. Bex —7A 2
Bradbury Ct. Grav —1J 15
Braemar Av. Bexh —4B 2
Braeside Cres. Bexh —4B 2
Brakefield Rd. S'fleet —6E 14
Bramber Ct. Dart —6C 4
(off Bow Arrow La.)
Bramber Ct. Dart —6C 4
(off Osborne Rd.)
Bramble Av. Bean —3K 13
Brambledown. Hart —4C 22
Bramblefield Clo. Long —3B 22
Bramley Clo. Grav —7J 15
Bramley Clo. Swan —4D 18
Bramley Pl. Dart —4F 3
Brandon Rd. Dart —7B 4
Brandon St. Grav —7A 8
Brands Hatch Rd. Fawk —4D 24
Bransell Clo. Swan —6B 18
Branton Rd. Grnh —6G 5
Brantwood Rd. Bexh —2A 2
Brasted Rd. Eri —1D 2
Breakneck Hill. Grnh —5J 5
Bremner Clo. Swan —4F 19
Brenchley Av. Grav —5A 16
Brenda Ter. Swans —7B 6
Brendon Clo. Eri —1D 2
Brennan Rd. Til —2A 8
Brent Clo. Dart —6C 4
Brentfield Rd. Dart —6B 4
Brentlands Dri. Dart —1B 12
Brent La. Dart —7A 4
Brent, The. Dart —7B 4
Brent Way. Dart —6C 4
Brewer's Field. Dart —4H 11
Brewers Rd. Shorne —7H 17
Brewhouse Yd. Grav —6A 8
Briar Rd. Bex —3C 10
Briars, The. W King —6A 24
Briars Way. Hart —5D 22
Bridge Ho. Dart —7K 3
Bridge Rd. Eri —2E 2
Bridges Dri. Dart —5C 4
Brightlands. Grav —4H 15
Brindley Clo. Bexh —3A 2
Brisbane Ho. Til —1K 7
Bristol Rd. Grav —3C 16
Britannia Dri. Grav —5E 16
Broad Ditch Rd. S'fleet —7F 16
Broad La. Dart —4F 11
Broad Rd. Swans —6B 6
Broadway. Bexh —4A 2
Broadway. Swan —6C 18
Broadway. Til —2J 7
Broadwood. Grav —5A 16
Brompton Dri. Eri —1G 3
Bronte Clo. Til —2B 8
Bronte Gro. Dart —4A 4
Bronte View. Grav —1B 16
Brooke Dri. Grav —1G 17
Brooklands. Dart —1K 11
Brook Rd. Grav —1H 15
Brook Rd. Swan —3C 18
Brookside Rd. Grav —7J 15
Brook St. Eri —1A 2
Brook Vale. Eri —1A 2
Broomfield Rd. Bexh —5A 2
Broomfield Rd. Swans —5B 6
Broomfields. Hart —5B 22
Broom Hill Rise. Bexh —5A 2
Broomhill Rd. Dart —6G 3
Broomhills. S'fleet —4B 14
Broom Mead. Bexh —5A 2
Brougham Ct. Dart —6C 4
(off Hardwick Cres.)
Browning Rd. Dart —4A 4
Browning Wlk. Til —2B 8
Brown Rd. Grav —1D 16
Brummel Clo. Bexh —3B 2
Brunel Clo. Til —3A 8
Brunswick Wlk. Grav —7C 8
Bryanston Rd. Til —2B 8
Buckingham Rd. Grav —7G 7
Buckley Clo. Dart —2E 2
Bucks Cross Rd. Grav —3J 15
Bullace La. Dart —6K 3
Burch Rd. Grav —6J 7
Burdett Av. Shorne —4K 17
Burgate Clo. Dart —3E 2
Burghfield Rd. Grav —7J 15
Burman Clo. Dart —7D 4
Burnaby Rd. Grav —7H 7
Burnham Cres. Dart —4H 3
Burnham Rd. Dart —4H 3
Burnham Ter. Dart —5J 3
Burnham Trading Est. Dart —4J 3
Burnley Rd. Grays —1G 5
Burns Clo. Eri —1E 2
Burns Pl. Til —1A 8
Burnt Ho. La. Dart —4K 11
(in two parts)
Burr Bank Ter. Wilm —4H 11
Bushfield Wlk. Swans —6B 6
Butchers Hill. Shorne —5K 17
Butcher's La. New Ash —2G 25
Butcher Wlk. Swans —7B 6
Butler's Pl. Ash —3H 25
Button St. Swan —2H 19
Bycliffe Ter. Grav —7J 7
Byron Gdns. Til —1B 8
Byron Ho. Dart —5D 2
Byron Rd. Dart —4C 4

Cadogan Av. Dart —7E 4
Cairns Clo. Dart —5J 3
Calais Cotts. Fawk —2D 24
Calcutta Rd. Til —2J 7
Calfstock La. F'ham —4A 20
Caling Croft. New Ash —1J 25
Caliph Clo. Grav —3E 16
Calshot Ct. Dart —6C 4
(off Osborne Rd.)
Cambria Cres. Grav —4D 16
Cambria Ho. Eri —1D 2
(off Larner Rd.)
Cambrian Gro. Grav —7K 7
Cameron Clo. Bex —3D 10
Campbell Rd. Grav —1J 15
Campion Clo. Grav —4H 15
Canada Farm Rd. S Dar —4H 21
Canal Basin. Grav —6C 8
Canal Ind. Pk. Grav —6C 8
Canal Rd. Grav —6B 8
Canberra Sq. Til —2K 7
Cannon Wlk. Grav —7B 8
Canterbury Clo. Dart —7B 4
Canterbury Ho. Eri —1E 2
Canterbury Rd. Grav —2B 16
Capelands. New Ash —2K 25
Capel Pl. Dart —4H 11
Capstan Cen. Ind. Est. Til —1G 7
Capstan Ct. Dart —4D 4
Carey Ct. Bexh —5A 2
Carisbrooke Ct. Dart —6C 4
(off Clifton Wlk.)
Carisbrooke Ct. Dart —6C 4
(off Osborne Rd.)
Carl Ekman Ho. Grav —7G 7
Carleton Pl. Hort K —4D 20
Carleton Rd. Dart —7B 4
Carlisle Rd. Dart —6B 4
Carlton Av. Grnh —6F 5
Carmelite Way. Hart —5C 22
Carr Ho. Dart —5D 2
Carrington Rd. Dart —6A 4
Carsington Gdns. Dart —2J 11
Carters Row. Grav —1J 15
Casstine Clo. Swan —7E 10
Castlefields. Grav —1J 23
Castle Hill. Hart —5A 22
Castle La. Grav —2G 17
Castle Rd. Swans —6C 6
Castle St. Grnh —5H 5
Castle St. Swans —6C 6
Castleton Av. Bexh —1C 2
Cavell Cres. Dart —4B 4
Cavendish Sq. Long —3B 22
Caxton Clo. Hart —4C 22
Cecil Rd. Grav —1J 15
Cedar Av. Grav —4B 16
Cedar Clo. Meop —6K 23
Cedar Clo. Swan —2B 18
Cedar Dri. S at H —2C 20
Cedar Rd. Dart —1J 11
Cedar Rd. Eri —1F 3
Central Av. Grav —2A 16
Central Av. Til —1K 7
Central Rd. Dart —5K 3
Centre Rd. New Ash —3H 25
Centuryan Pl. Dart —4G 3
Cerne Rd. Grav —4D 16
Cervia Way. Grav —3E 16
Chadfields. Til —1K 7
Chadwick Clo. Grav —3H 15
Chalet Clo. Bex —4C 10
Chalice Way. Grnh —5F 5
Chalk Rd. Grav —1F 17
Chalky Bank. Grav —4K 15
Challenge Clo. Grav —4E 16
Chancel Clo. W King —7B 24
Chancery Ct. Dart —7B 4
Chantry Av. Hart —6B 22
Chantry Ct. Grav —6B 8
Chapel Clo. Dart —5D 2
Chapel Hill. Dart —5D 2
Chapel Wood. New Ash —1H 25
Chapel Wood Rd. Ash & Hart —3H 25
Charles St. Grnh —5G 5
Charlieville Rd. Eri —1B 2
Charnock. Swan —4D 18
Chase Sq. Grav —6A 8
Chase, The. Bexh —3A 2
Chastilian Rd. Dart —7E 2
Chatsworth Rd. Dart —5H 3
Chaucer Clo. Til —2B 8
Chaucer Pk. Dart —7A 4
Chaucer Rd. Grav —3G 15
Chaucer Way. Dart —4B 4
Chave Rd. Dart —3K 11
Cheltenham Clo. Grav —5B 16
Chenies, The. Wilm —4D 10
Chequers Clo. Grav —2H 23
Cherry Av. Swan —4C 18
Cherry Tree La. Wilm —3E 10
Cherry Trees. Hart —5C 22
Cherrywood Dri. Grav —4H 15
Cheshunt Clo. Meop —5K 23
Chesterfield Dri. Dart —5G 3
Chesterton Way. Til —2B 8
Chestnut Clo. Grav —6J 7
Chestnut Gro. Dart —5C 10
Chestnut Rd. Dart —1J 11
Cheswick Clo. Dart —4E 2
Chesworth Clo. Eri —2D 2
Cheviot Clo. Bexh —2D 2
Cheviot Ho. Grav —6G 7
(off Laburnum Gro.)
Cheyne Wlk. Long —3B 22
Chichester Rise. Grav —4C 16
Chichester Rd. Grnh —6G 5
Chieveley Pde. Bexh —4A 2
Chieveley Rd. Bexh —4A 2
Chiffinch Gdns. Grav —3H 15
Childs Cres. Swans —6A 6
Chiltern Clo. Bexh —1D 2
Chiltern Rd. Grav —3H 15
Chipstead Rd. Eri —1D 2
Christ Chu. Cres. Grav —7B 8
Christchurch Rd. Dart —7H 3
Christchurch Rd. Grav —7B 8
Christchurch Rd. Til —1K 7
Christian Fields Av. Grav —4B 16
Church Farm Clo. Swan —6B 18
Church Field. Dart —2J 11
Church Hill. Dart —4D 2
Church Hill. Grnh —5F 5
Church Hill. Wilm —2J 11
Churchill Clo. Dart —1C 12
Churchill Rd. Grav —1J 15
Churchill Rd. Hort K —4D 20
Church La. Grav —2H 17
Church Path. Grav —6F 7
Church Path. Grnh —5G 5
Church Path. Swan —1G 19
Church Rd. Cobh —7B 16
Church Rd. Crock —7C 18
Church Rd. Grnh —5G 5
Church Rd. Hart —5C 22
Church Rd. New Ash —2J 25
Church Rd. Sole S —6B 16
Church Rd. S at H —7K 11
Church Rd. Swan —1J 19
Church Rd. Swans —6C 6
Church Rd. Til —1J 7
Church Rd. W King —7B 24
Church St. Grav —6A 8
Church St. S'fleet —5D 14
Church Trading Est., The. Eri —1E 2
Church View. Swan —3C 18
Church Wlk. Dart —3J 11
Church Wlk. Grav —1C 16
Cimba Wood. Grav —4D 16
Circle, The. Til —1K 7
Cirrus Cres. Grav —5D 16
Civic Sq. Til —2K 7
Claremont Cres. Dart —4D 2
Claremont Pl. Grav —7A 8
Claremont Rd. Swan —7D 10
Clarence Pl. Grav —7A 8
Clarence Row. Grav —7A 8
Clarendon Gdns. Dart —7E 4
Clarendon M. Bex —1A 10
Clarendon Pl. Wilm —5D 10
Clarendon Rd. Grav —6B 8
Clark Clo. Eri —1F 3
Claston Clo. Dart —4D 2
Clayton Croft Rd. Dart —2F 11
Claywood La. Bean —3A 14
Clearway Caravan Pk. W King —7A 24
Clearways Bus. Est. W King —7B 24
Clement St. Swan —6H 11
Cleveland Ho. Grav —6G 7
Cleves Ct. Dart —7K 3
Clifton Gro. Grav —7A 8
Clifton Marine Pde. Grav —6J 7
Clifton Rd. Grav —6K 7
Clifton Wlk. Dart —6C 4
Clipper Boulevd. Dart —4F 5
Clipper Cres. Grav —4E 16
Clive Av. Dart —6E 2
Clive Rd. Grav —6A 8
Close, The. Long —2E 22
Close, The. Wilm —3J 11
Cloudesley Rd. Eri —1E 2
Clovers, The. Grav —4H 15
Coach Rd. Grav —6H 7
Cob Dri. Shorne —5K 17
Cobham Ho. Eri —1E 2
Cobham St. Grav —7K 7
Cobham Ter. Grav —1J 15
(off Southfleet Rd.)
Cobsdene. Grav —6C 16
Codrington Cres. Grav —5B 16
Codrington Gdns. Grav —5C 16
Cold Blow Cres. Bex —1C 10
Coldharbour Rd. Grav —2H 15
Coleridge Rd. Dart —4C 4
Coleridge Rd. Til —2B 8
Colin Clo. Dart —6C 4
College Rd. Grav —5E 6
College Rd. Swan —1D 18
Coller Cres. Dart —5F 13
Collington Clo. Grav —7H 7
Collingwood Ho. Grnh —5K 5
Colney Rd. Dart —6A 4
Coltstead. New Ash —2H 25
Colyer Rd. Grav —2F 15
Colyers Clo. Eri —1C 2
Colyers La. Eri —1B 2
Colyers Wlk. Eri —1D 2
Commercial Pl. Grav —6B 8
Common La. Dart —2F 11
Conifer Av. Hart —6B 22
Conifer Way. Swan —1B 18
Conisborough Ct. Dart —6C 4
(off Osborne Rd.)
Coniston Clo. Bexh —1B 2
Coniston Clo. Dart —1G 11
Coniston Rd. Bexh —1B 2
Constable Rd. Grav —3H 15
Constitution Cres. Grav —1B 16
(off Constitution Hill)
Constitution Hill. Grav —1B 16
Cookham Rd. Swan —2A 18
Coombe Rd. Grav —2B 16
Coombfield Dri. Dart —4E 12
Cooper Clo. Grnh —5G 5
Coopers Clo. S Dar —1E 20
Coopers Rd. Grav —1J 15
Copper Beech Clo. Grav —7C 8
Copperfield Clo. Grav —1F 17
Copse Side. Hart —3B 22
Copt Hall Rd. Cobh —4K 23
Corhaven Ho. Eri —1D 2
Cornwall Av. Grav —3B 16
Coronation Ct. Eri —1C 2
Cotswold Clo. Bexh —2D 2
Cotswold Rd. Grav —3H 15
Cotton La. Dart & Grnh —6D 4
Coulton Av. Grav —7H 7
Council Av. Grav —6F 7
Court Cres. Swan —4D 18
Courtleet Dri. Eri —1A 2
Court Lodge. Shorne —6K 17
Court Rd. Dart —5F 13
Coutts Av. Shorne —4K 17
Cowdrey Ct. Dart —7G 3
Cowley Av. Grnh —5G 5
Cowper Av. Til —1A 8
Cranbrook Ho. Eri —1E 2
(off Boundary St.)
Cranford Rd. Dart —1K 11
Cranleigh Clo. Bex —6A 2
Cranleigh Dri. Swan —4D 18
Crawfords. Swan —7D 10
Crawley Ct. Grav —5A 8
Crayburne. S'fleet —5C 14
Cray Clo. Dart —4F 3
Craydene Rd. Eri —1E 2
Crayford High St. Dart —5D 2
Crayford Ind. Est. Cray —5E 2
Crayford Rd. Dart —5E 2
Crayford Way. Dart —5E 2
Craylands La. Swans —5A 6
Craylands Sq. Swans —5A 6
Craymill Sq. Dart —2E 2
Cray Rd. Swan —6B 18
Crayside Ind. Est. Dart —4G 3
Creek, The. Grav —5E 6
Cremorne Rd. Grav —7J 7
Crescent Gdns. Swan —2B 18
Crescent, The. Grav —2J 15
Crescent, The. Grnh —5K 5
Crescent, The. Long —3B 22
Crest View. Grnh —4J 5
Crete Hall Rd. Grav —6G 7
Crockenhall Way. Grav —7H 15
Crockenhill La. Eyns —7F 19
Crockenhill Rd. Swan —6A 18
Croft, The. Swan —3B 18
Crooked La. Grav —6A 8
Cross La. E. Grav —2A 16
Cross La. W. Grav —2A 16
Cross Rd. Dart —6H 3
Cross Rd. Grav —6J 7
Cross Rd. Hawl —4A 12
Cross St. Grav —6A 8
Crossways 25 Bus. Pk. Dart —4D 4
Crossways Boulevd. Dart —4D 4
Crowhurst La. W King —7D 24
Crown Ct. Til —2K 7
Crown Grn. Shorne —5K 17
Crown La. Shorne —4K 17
Cruden Rd. Grav —3E 16
Crusader Ct. Dart —5A 4
Cugley Rd. Dart —7D 4
Culcroft. Hart —3C 22
Culvey Clo. Hart —5B 22
Cumberland Av. Grav —7B 8
Cumberland Dri. Dart —7A 4
Cumbrian Av. Bexh —2D 2
Curlews, The. Grav —2C 16
Cutmore St. Grav —7A 8
Cyclamen Rd. Swan —4C 18
Cygnet Gdns. Grav —2J 15

Dahlia Dri. Swan —2E 18
Dairy Clo. S at H —7C 12
Dale Clo. Dart —6E 2
Dale End. Dart —6E 2
Dale Rd. Dart —6E 2
Dale Rd. S'fleet —1D 14
Dale Rd. Swan —2B 18
Dale View. Eri —2E 2
Dale Wlk. Dart —1D 12
Dalmeny Rd. Eri —1A 2
Daltons Rd. Swan —7B 18
Damigos Rd. Grav —1E 16
Damson Ct. Swan —4C 18
Dane Clo. Bex —7A 2
Danes Clo. Grav —3F 15
Darenth Dri. Grav —1G 17
Darenth Hill. Dart —5C 12
Darenth Rd. Dart —7A 4
Darenth Rd. Hawl —4C 12
Darenth Wood Rd. Dart —4F 13
(in two parts)
Darent Mead. S at H —1C 20
Darlton Clo. Dart —3E 2
Darnley Ct. Grav —7K 7
(off Darnley Rd.)
Darnley Rd. Grav —1K 15
(in two parts)
Darnley St. Grav —7K 7
Dartford By-Pass. Bex & Dart —1D 10
Dartford Crossing. Dart & Grays —3E 4
Dartford Rd. Bex —1B 10
Dartford Rd. Dart —6F 3
Dartford Rd. F'ham —6A 20
(in two parts)
Dartford Trade Pk. Dart —2K 11
Dartford Tunnel. Dart & Grays —3E 4
Dartford Tunnel App. Rd. Dart —7C 4
Darwin Rd. Til —1J 7
Dashwood Clo. Bexh —5A 2
Dashwood Rd. Grav —1K 15
Davis Av. Grav —1H 15
Davy's Pl. Grav —6D 16
Dawson Dri. Swan —7D 10
Deerhurst Clo. Long —3F 23
Defoe Clo. Eri —1E 2
Dell, The. Bex —1D 10
Dene Clo. Dart —4D 10
Dene Dri. Long —2E 22
Dene Holm Rd. Grav —3G 15
Dene Rd. Dart —7A 4

Denesway. Meop —6K 23
Dene Wlk. Long —3B 22
Dennis Rd. Grav —3K 15
Denny Ct. Dart —6C 4
(off Bow Arrow La.)
Denny Ct. Dart —6C 4
(off Hardwick Cres.)
Denton Caravan Site. Grav —1E 16
Denton Ct. Rd. Grav —7D 8
Denton Rd. Bex —1D 10
Denton Rd. Dart —7D 2
Denton St. Grav —7D 8
Denton Ter. Bex —2D 10
Denver Rd. Dart —7F 3
Dering Way. Grav —1E 16
Derwent Clo. Dart —1G 11
Detling Rd. Eri —1C 2
Detling Rd. Grav —1G 15
Devon Ct. S at H —1G 19
Devon Rd. S Dar —1C 20
Devonshire Av. Dart —6G 3
Devonshire Rd. Grav —1A 16
Dewlands Av. Dart —7C 4
Dial Clo. Grnh —5A 6
Dickens Av. Dart —4B 4
Dickens Av. Til —1A 8
Dickens Clo. Hart —5C 22
Dickens Rd. Grav —1D 16
Dobson Rd. Grav —5D 16
Dock Rd. Til —1H 7
Dogwood Clo. Grav —4J 15
Donnington Ct. Dart —6C 4
(off Bow Arrow La.)
Dorchester Clo. Dart —7A 4
Dorchester Rd. Grav —3C 16
Doria Dri. Grav —3D 16
Doris Av. Eri —1B 2
Dormers Dri. Meop —7K 23
Dorothy Evans Clo. Bexh —4A 2
Dorset Cres. Grav —4D 16
Dovedale Rd. Dart —1D 12
Dover Rd. Grav —7G 7
Dover Rd. E. Grav —7H 7
Dowding Wlk. Grav —3H 15
Downage, The. Grav —2K 15
Downbank Av. Bexh —1C 2
Downs Av. Dart —7B 4
Downs Hill. S'fleet —7F 15
Downs Rd. Grav —4G 15
Downs Valley. Hart —4B 22
Downsview Clo. Swan —3E 18
Doyle Clo. Eri —1D 2
Doyle Way. Til —2B 8
Drive, The. Grav —4D 16
Drive, The. Long —3E 22
Drove Way., The. Grav —7H 15
Drudgeon Way. Bean —3J 13
Drummond Clo. Eri —1D 2
Dryden Pl. Til —1A 8
Ducketts Rd. Dart —5E 2
Dudley Rd. Grav —7H 7
Dudsbury Rd. Dart —6G 3
Dukes Orchard. Bex —1B 10
Dunkin Rd. Dart —4B 4
Dunkirk Clo. Grav —5B 16
Dunlop Rd. Til —1J 7
Durant Rd. Swan —6F 11
Durndale La. Grav —4H 15
Durrant Way. Swans —7B 6
Dykewood Clo. Bex —3C 10

Eagles Rd. Grnh —4J 5
Eagle Way. Grav —5D 6
Eardemont Clo. Dart —4E 2
Earl Rd. Grav —2H 15
E. Crescent Rd. Grav —6B 8
East Hill. Dart —7A 4
East Hill. S Dar —2D 20
E. Hill Dri. Dart —7A 4
East Holme. Eri —1C 2
E. Kent Av. Grav —6F 7
Eastleigh Rd. Bexh —3B 2
E. Milton Rd. Grav —7C 8
E. Rochester Way. Bex —6A 2
East St. Bexh —4A 2
East Ter. Grav —6B 8
Eaton Sq. Long —3B 22
Ebbsfleet Ind. Est. Grav —5D 6
Ebbsfleet Wlk. Grav —6E 6
Echo Sq. Grav —2B 16
Eden Clo. Bex —4C 10
Edendale Rd. Bexh —1C 2
Eden Pl. Grav —7A 8
Eden Rd. Bex —4B 10
Edgar Clo. Swan —3E 18
Edgefield Clo. Dart —1C 12
Edgehill Gdns. Grav —1J 23
Edinburgh Ct. Eri —1C 2
Edinburgh M. Til —2A 8
Ediva Rd. Meop —5K 23
Edmund Clo. Meop —5K 23
Edwards Gdns. Swan —4C 18
Edwin Rd. Dart —3G 11
Edwin St. Grav —7A 8
Egerton Av. Swan —7E 10
Egerton Clo. Dart —1G 11
Eglantine La. F'ham —7B 20
Eglinton Rd. Swans —6B 6
Elgar Gdns. Til —1K 7
Eliot Rd. Dart —5C 4
Elizabeth Clo. Til —2A 8
Elizabeth Ct. Eri —1C 2
(off Valence Rd.)
Elizabeth Ct. Grav —6K 7
Elizabeth Huggins Cotts. Grav —2A 16
Elizabeth St. Grnh —5F 5
Ellerman Rd. Til —2J 7
Ellerslie. Grav —7C 8
Elliott St. Grav —7C 8
Elm Clo. Dart —1H 11
Elm Dri. Swan —2C 18
Elmfield Clo. Grav —1A 16
Elmington Clo. Bex —6A 2
Elm Rd. Dart —1J 11
Elm Rd. Eri —1F 3
Elm Rd. Grav —3B 16
Elm Rd. Grnh —6F 5
Elmstead Rd. Eri —1D 2
Elwick Ct. Dart —4F 3
Elwill Way. Grav —1J 23
Ely Clo. Eri —2E 2
Emersons Av. Swan —7E 10
Empress Rd. Grav —7D 8
Epsom Clo. Bexh —3A 2
Erica Ct. Swan —4D 18
Eskdale Clo. Dart —1D 12
Essex Rd. Dart —6J 3
(in two parts)
Essex Rd. Grav —1K 15
Essex Rd. Long —2A 22
Ethelbert Rd. Dart —4K 11
Eton Way. Dart —4H 3
Evans Clo. Grnh —5H 5
Evenden Rd. Meop —7K 23
Everest Clo. Grav —3H 15
Everest Pl. Swan —4C 18
Everglade Clo. Hart —4C 22
Eversley Av. Bexh —2C 2
Eversley Cross. Bexh —2D 2
Evesham Rd. Grav —2C 16
Exeter Rd. Grav —3C 16
Eynsford Rd. F'ham —7A 20
Eynsford Rd. Grnh —5K 5
Eynsford Rd. Swan —6C 18

Factory Rd. Grav —6F 7
Faesten Way. Bex —3D 10
Fairacre Pl. Hart —3B 22
Fairby Grange. Hart —5B 22
Fairby La. Hart —6B 22
Fairfax Rd. Til —1J 7
Fairford Av. Bexh —1C 2
Fairlight Cross. Long —3E 22
Fairseat La. Fair —7K 25
Fairview. Dart —3E 24
Fairview Gdns. Meop —5K 23
Fairview Rd. Grav —7G 15
Fairway Dri. Dart —7C 4
Fairway, The. Grav —2A 16
Falcon Clo. Dart —5A 4
Falcon M. Grav —1H 15
Farley Rd. Grav —1E 16
Farlow Clo. Grav —3J 15
Farm Av. Swan —3B 18
Farmcroft. Grav —2K 15
Farm Holt. New Ash —1J 25
Farm Pl. Dart —4F 3
Farm Vale. Bex —6A 2
Farningham Hill Rd. F'ham —5H 19
Farnol Rd. Dart —5B 4
Farriers Clo. Grav —1E 16
Farthing Clo. Dart —4A 4
Fawkham Av. Long —3F 23
Fawkham Grn. Rd. Fawk —3E 24
Fawkham Rd. Fawk & W King —4C 24
Fawkham Rd. Long —4A 22
Faygate Cres. Bexh —5A 2
Feenan Highway. Til —2A 8
Fens Way. Swan —6F 11
Fenswood Clo. Bex —6A 2
Ferguson Av. Grav —4B 16
Ferndale Rd. Grav —2A 16
Ferndell Av. Bex —3C 10
Ferndene. Long —3G 23
Fernheath Way. Dart —5C 10
Ferry Rd. Til —3K 7
Festival Av. Long —3G 23
Fiddlers Clo. Grnh —4J 5
Fielding Av. Til —1A 8
Filborough Way. Grav —2G 17
Finchley Clo. Dart —6B 4
Firecrest Clo. Long —3E 22
Firmin Rd. Dart —5H 3
First Av. Grav —1H 15
Firs, The. Bex —1C 10
Fishermens Hill. Grav —5E 6
Fiveash Rd. Grav —7J 7
Five Wents. Swan —2F 19
Flats, The. Grnh —5K 5
Fleet Av. Dart —1D 12
Fleetdale Pde. Dart —1D 12
Fleet Houses. S'fleet —6E 14
Fleet Rd. Dart —1D 12
Fleet Rd. Grav —3F 15
Fleming Gdns. Til —1B 8
Florence Farm Mobile Home Pk. W King —6A 24
Flowerhill Way. Grav —7H 15
Ford Rd. Grav —5E 6
Foresters Cres. Bexh —4A 2
Forest Rd. Eri —1F 3
Forge La. Grav —2E 16
Forge La. Hort K —4D 20
Forge La. Shorne —5K 17
Fort Rd. Til —4A 8
Fort Rd. W Til —1B 8
Fortrye Clo. Grav —2H 15
Fortuna Clo. Hart —4C 22
Fosset Lodge. Bexh —1B 2
Fountain Wlk. Grav —6H 7
Foxbury. New Ash —3H 25
Foxhounds La. S'fleet —3C 14
Foxwood Rd. Bean —3J 13
Foxwood Way. Long —2G 23
Francis Av. Bexh —2A 2
Francis Rd. Dart —5J 3
Franklin Rd. Grav —5C 16
Franks La. Hort K —5C 20
Fraser Clo. Bex —1B 10
Freeland Way. Eri —1F 3
Freeman Rd. Grav —3D 16
Fremantle Ho. Til —1J 7
Frinsted Rd. Eri —1C 2
Frobisher Way. Grav —5D 16
Fulwich Rd. Dart —6A 4
Furner Clo. Dart —3E 2

Gable Clo. Dart —5F 3
Gables, The. Long —2F 23
Gabriel Gdns. Grav —5D 16
Gabrielspring Rd. Fawk —2A 24
Gabrielspring Rd. E. Fawk —2B 24
Gainsborough Av. Dart —5H 3
Gainsborough Av. Til —1K 7
Gainsborough Dri. Grav —3G 15
Galleon Boulevd. Dart —4E 4
Galley Hill Rd. Grav —5C 6
Galley Hill Trading Est. Swans —5B 6
Gallows Wood. Fawk —4D 24
Galsworthy Rd. Til —1B 8
Garden Pl. Dart —3J 11
Garden Row. Grav —3J 15
Garrard Clo. Bexh —3A 2
Garrick St. Grav —6A 8
Garrow. Long —3E 22
Gascoyne Dri. Dart —3E 2
Gasson Rd. Swans —6B 6
Gateway Pde. Grav —4E 16
Gatwick Rd. Grav —3A 16
Gaylor Rd. Til —1J 7
Gazelle Glade. Grav —5E 16
Genesta Glade. Grav —5F 17
Gerald Rd. Grav —7D 8
Gerdview Dri. Dart —4H 11
Gibson Clo. Grav —3J 15
Gilbert Clo. Swans —6A 6
Gildenhill Rd. Swan —7H 11
Gill Cres. Grav —3J 15
Gillies Rd. W King —5B 24
Gills Rd. S Dar —1F 21
Glades, The. Grav —6C 16
Gladstone Rd. Dart —6A 4
Glebelands. Dart —4E 2
Glebe Pl. Hort K —4D 20
Glebe Rd. Grav —1J 15
Glendale. Swan —5E 18
Glendale Rd. Grav —4H 15
Glenrosa Gdns. Grav —5F 17
Glen View. Grav —1B 16
Gloucester Ct. Til —2J 7
Gloucester Rd. Dart —7G 3
Gloucester Rd. Grav —4B 16
Gloxinia Rd. S'fleet —6E 14
Goldsel Rd. Swan —5C 18
Golf Links Av. Grav —5A 16
Goodwood Cres. Grav —6B 16
Gordon Pl. Grav —6B 8
Gordon Promenade. Grav —6B 8
Gordon Promenade E. Grav —6C 8
Gordon Rd. Dart —7J 3
Gordon Rd. Grav —7H 7
Gore Cotts. Grn St —3D 12
Gore Ct. Rd. Swan —6C 18
Gore Rd. Dart —2D 12
Gorringe Av. S Dar —2E 20
Gorse Hill. F'ham —6K 19
Gorse Way. Hart —5C 22
Gorsewood Rd. Hart —5C 22
(in two parts)
Goss Hill. Swan —6H 11
Gothic Clo. Dart —3J 11
Gouge Av. Grav —1H 15
Granby Rd. Grav —6F 7
Grange Cres. Dart —6C 4
Grange Ho. Grav —7K 7
Grange La. Hart —7D 22
Grange Rd. Grav —7K 7
Grange, The. S Dar —1E 20
Grange Way. Eri —1G 3
Grange Way. Hart —6C 22
Grangeways Clo. Grav —4J 15
Granville Rd. Grav —7J 7
Grasmere Rd. Bexh —2B 2
Grass Rd. Long —5F 23
Gravel Hill. Bexh —5A 2
Gravel Hill Clo. Bexh —5A 2
Gravel Rd. S at H —7C 12
Gravesend Rd. Shorne —3J 17
Gravesham Ct. Grav —7A 8
Grazeley Clo. Bexh —5B 2
Gt. Queen St. Dart —6A 4
Greenacre. Dart —2J 11
Greenacre Clo. Swan —4D 18
Greenbanks. Dart —2K 11
Green Ct. Rd. Swan —6C 18
Greendale Wlk. Grav —4H 15
Green Farm La. Shorne —2K 17
Greenfield Rd. Dart —5C 10
Greenfinches. Long —3E 22
Greenhill Rd. Grav —2J 15
Green La. Meop —7K 23
Green La. Shorne —6J 17
Green Mnr. Way. Grav —4C 6
Green Pl. Dart —5D 2
Greenside. Swan —2C 18
Green St. Grn. Rd. Dart —1C 12
Green St. Grn. Rd. Long —2A 22
Green Wlk. Dart —5E 2
Green Way. Hart —5B 22
Greenways. Long —3G 23
Greenwood Rd. Bex —4C 10
Gresham Av. Hart —5C 22
Greyhound Commercial Cen., The. Dart —5D 2
Greyhound Way. Dart —5D 2
Grieves Rd. Grav —3J 15
Griffin Wlk. Grnh —5G 5
Grosvenor Cres. Dart —5J 3
Grosvenor Sq. Long —3B 22
Grovebury Ct. Bexh —5A 2
Grove Rd. Bexh —4B 2
Grove Rd. Grav —5E 6
Grove, The. Grav —7A 8
Grove, The. Swan —3E 18
Grove, The. Swans —5C 6
Gunfleet Clo. Grav —7D 8
Gunn Rd. Swans —6B 6
Gwynn Rd. Grav —2F 15

Hadlow Way. Grav —7H 15
Haig Gdns. Grav —7B 8
Halcot Av. Bexh —5A 2
Hallford Way. Dart —6H 3
Hall Pl. Cres. Bex —5B 2
Hall Rd. Dart —4A 4
Hall Rd. Grav —3F 15
Halstead Rd. Eri —1D 2
Hamerton Rd. Grav —5E 6
Hamlet Ho. Eri —1D 2
Hampton Cres. Grav —2D 16
Hampton Ho. Bexh —2A 2
(off Erith Rd.)
Hanbury Wlk. Bex —3D 10
Handel Cres. Til —1K 7
Hanover Pl. New Ash —2J 25
Harbex Clo. Bex —7A 2
Harden Rd. Grav —3J 15
Hardwick Cres. Dart —6C 4
Hardy Av. Grav —2H 15
Hardy Gro. Dart —4B 4
Harman Av. Grav —5A 16
Harmer Rd. Swans —6C 6
Harmer St. Grav —6B 8
Harold Rd. Dart —4A 12
Harris Clo. Grav —3J 15
Harrowby Gdns. Grav —2H 15
Hart Dyke Cres. Swan —3C 18
Hart Dyke Rd. Swan —3C 18
Hartfield Pl. Grav —7G 7
Hartford Rd. Bex —6A 2
Hartley Bottom Rd. Sev & Hart —6K 25
Hartley Hill. Hart —1K 25
Hartley Rd. Long —2B 22
Hart Shaw. Long —2E 22
Hartshill Rd. Grav —2J 15
Harvest Way. Swan —7C 18
Harvst Way. Swan —1B 18
Hasted Clo. Grnh —6K 5
Hatton Clo. Grav —3H 15
Havelock Rd. Dart —7G 3
Havelock Rd. Grav —7J 7
Haven Clo. Grav —1J 23
Haven Clo. Swan —2E 18
Havengore Av. Grav —7D 8
Haven Hill. Hods —6K 25
Havisham Rd. Grav —1F 17
Hawkins Av. Grav —4B 16
Hawley Rd. Dart —2K 11
Hawley Ter. Dart —5B 12
Hawthorn Clo. Grav —4B 16
Hawthorn Rd. Dart —2J 11
Hawthorns. Hart —4C 22
Hayes Rd. Grnh —7F 5
Hayes Ter. Shorne —5K 17
Haynes Rd. Grav —3J 15
Hayward Clo. Dart —5C 2
Hazel Dri. Eri —1G 3
Hazel End. Swan —5D 18
Hazel Rd. Dart —2J 11
Hazel Rd. Eri —1F 3
Heathclose. Swan —2D 18
Heathclose Av. Dart —7G 3
Heathclose Rd. Dart —1F 11
Heath End Rd. Bex —1D 10
Heatherbank Clo. Dart —6D 2
Heather Dri. Dart —7F 3
Heather End. Swan —4C 18
Heathfield Cotts. Swan —2C 18
(off London Rd.)
Heathfield Pde. Swan —2B 18
Heath Gdns. Dart —1H 11
Heathlands Rise. Dart —6G 3
Heath La. (Lower) Dart —1H 11
Heath La. (Upper) Dart —2F 11
Heathlee Rd. Dart —6D 2
Heath Rd. Bex —1B 10
Heath Rd. Dart —6E 2
Heath St. Dart —7J 3
Heathview Av. Dart —6D 2
Heathview Cres. Dart —1G 11
Heath Way. Eri —1B 2
Heathwood Gdns. Swan —2B 18
Heathwood Wlk. Bex —1D 10
Hedge Pl. Rd. Grnh —6G 5
Hedgerows, The. Grav —2H 15
Helen Clo. Dart —7G 3
Hemsted Rd. Eri —1D 2
Henderson Dri. Dart —4A 4
Henfield Clo. Bex —6A 2
Henhurst Rd. Sole S —7D 16
Henley Deane. Grav —4H 15
Herald Wlk. Dart —5A 4
Herbert Rd. Swan —6G 11
Herbert Rd. Swans —6C 6
Herongate Rd. Swan —6D 10
Hesketh Av. Dart —1C 12
Hever Av. W King —7B 24
Hever Ct. Rd. Grav —6B 16
Hever Rd. W King —6B 24
Heversham Rd. Bexh —1A 2
Hever Wood Rd. W King —7B 24
Hewett Pl. Swan —4C 18
Hibernia Dri. Grav —3E 16
High Croft Cotts. Swan —4F 19
Highcross Rd. S'fleet —5A 14
Highfield Rd. Dart —7J 3

Highfield Rd. N. Dart —6J **3**
Highfield Rd. S. Dart —7J **3**
High Firs. Swan —4D **18**
Highland Rd. Bexh —5A **2**
Highlands Hill. Swan —1F **19**
High Rd. Dart —3H **11**
Highstead Cres. Eri —1D **2**
High St. Bean, Bean —3J **13**
High St. Dartford, Dart —6K **3**
High St. Farningham, F'ham —6A **20**
High St. Gravesend, Grav —6A **8**
High St. Greenhithe, Grnh —4J **5**
High St. Northfleet, N'fleet —6E **6**
High St. Swanley, Swan —4E **18**
High St. Swanscombe, Swans —5C **6**
Hilary Clo. Eri —1A **2**
Hilda May Av. Swan —2D **18**
Hilden Dri. Eri —1G **3**
Hillary Av. Grav —3H **15**
Hill Brow. Dart —6E **2**
Hill Brow Clo. Bex —4C **10**
Hill Clo. Grav —7H **15**
Hill Cres. Bex —1B **10**
Hillcrest Dri. Grnh —5H **5**
Hillcrest Rd. Dart —7D **2**
Hill Ho. Rd. Dart —7D **4**
Hillingdon Rd. Bexh —2B **2**
Hillingdon Rd. Grav —2A **16**
Hill Rise. Dart —5E **12**
Hill Rd. Dart —2K **11**
Hillside. Dart —5F **13**
Hillside. F'ham —7A **20**
Hillside Av. Grav —2C **16**
Hillside Dri. Grav —2C **16**
Hillside Rd. Dart —6F **3**
Hill, The. Grav —6F **7**
Hilltop Gdns. Dart —5A **4**
Hill View Rd. Long —3E **22**
Hive La. Grav —6E **6**
Hive, The. Grav —6E **6**
Hobart Rd. Til —1K **7**
Hockenden La. Swan —3A **18**
Hogs La. Grav —3G **15**
Hollands Clo. Shorne —5K **17**
(in two parts)
Hollies, The. Grav —6C **16**
Hollybush Rd. Grav —2B **16**
Holly Rd. Dart —1J **11**
Hollytree Av. Swan —2D **18**
Holmesdale Hill. S Dar —1D **20**
Holmesdale Rd. S Dar —1D **20**
Holmleigh Av. Dart —5H **3**
Holmsdale Gro. Bexh —2D **2**
Holyoake Mt. Grav —1C **16**
Homefield Clo. Swan —3E **18**
Home Gdns. Dart —6K **3**
Home Hill. Swan —7E **10**
Homemead. Grav —7A **8**
Home Orchard. Dart —6K **3**
Homer Clo. Bexh —1B **2**
Homestead, The. Cray —5D **2**
Homestead, The. Dart —6H **3**
Hookfields. Grav —3H **15**
Hook Grn. La. Dart —3E **10**
Hook Grn. Rd. S'fleet —7B **14**
Hope Rd. Swans —6C **6**
Hopewell Dri. Grav —5E **16**
Horizon Ho. Swan —4D **18**
Hornbeam La. Bexh —2B **2**
Horsfield Clo. Dart —7D **4**
Horton Kirby Trading Est. S Dar —1D **20**
Horton Rd. Hort K —4D **20**
Horton Way. F'ham —7A **20**
Hoselands View. Hart —4B **22**
Hotham Clo. S at H —7C **12**
Hottsfield. Hart —3B **22**
Howard Rd. Dart —6B **4**
Howbury La. Eri —2F **3**
Howells Clo. W King —6B **24**
Huggen's College Almshouses. Grav —5E **6**
Hulsewood Clo. Dart —3G **11**
Humber Rd. Dart —5J **3**
Hume Av. Til —3A **8**
Huntingfield Rd. Meop —7K **23**
Huntley Av. Grav —6E **6**
Hunt Rd. Grav —3H **15**
Hurlfield. Dart —3H **11**
Hurst Pl. Dart —6H **3**
Hurst Rd. Eri —1B **2**
Hurstwood Av. Eri & Bexh —1D **2**
Hythe St. Dart —6K **3**
(in two parts)

Idleigh Ct. Rd. Meop —2K **25**
Ifield Way. Grav —6C **16**
Imperial Bus. Est. Grav —6J **7**
Imperial Dri. Grav —5E **16**
Inglenorth Ct. Swan —6B **18**
Inglewood. Swan —2D **18**
Inglewood Rd. Bexh —4C **2**
Ingoldsby Rd. Grav —1D **16**
Ingram Rd. Dart —1K **11**
Ingress Gdns. Grnh —5A **6**
Ingress Pk. Grnh —5K **5**
Ingress Ter. Grnh —4J **5**
Ingress Ter. S'fleet —4B **14**
Instone Rd. Dart —7J **3**
Invicta Rd. Dart —6C **4**
Iron Mill La. Dart —4D **2**
Iron Mill Pl. Dart —4E **2**
Irving Wlk. Swans —7B **6**
Irving Way. Swan —2C **18**
Istead Rise. Grav —7J **15**
Ivy Bower Clo. Grnh —5J **5**
Ivy Clo. Dart —6B **4**
Ivy Clo. Grav —3B **16**
Ivy Vs. Grnh —5H **5**

Jagger Clo. Dart —7D **4**
James Rd. Dart —7F **3**
Jellicoe Av. Grav —3B **16**
Jellicoe Av. W. Grav —3B **16**
Jenningtree Rd. Eri —1G **3**
Jessamine Pl. Dart —7D **4**
Johnson Clo. Grav —3G **15**
Johnson's Way. Grnh —6K **5**
John's Rd. Meop —5J **23**
Joyce Grn. La. Dart —4A **4**
Joyce Grn. Wlk. Dart —4A **4**
Joydens Wood Rd. Bex —4C **10**
Joy Rd. Grav —1B **16**
Jubilee Clo. Grnh —6K **5**
Jubilee Cres. Grav —2D **16**
Judith Gdns. Grav —5D **16**
Junction Rd. Dart —6J **3**
Juniper Wlk. Swan —2C **18**
Jury St. Grav —6A **8**

Kaysland Caravan Cen. W King —7B **24**
Keary Rd. Swans —7B **6**
Keats Gdns. Til —2A **8**
Keith Av. S at H —6C **12**
Kelso Dri. Grav —4E **16**
Kelvin Rd. Til —2K **7**
Kempthorne St. Grav —6A **8**
Kemsley Clo. Grav —4J **15**
Kemsley Clo. Grnh —6J **5**
Kenia Wlk. Grav —3E **16**
Kenilworth Ct. Dart —6C 4
(off Bow Arrow La.)
Kenilworth Ct. Dart —6C 4
(off Grange Cres.)
Kenley Clo. Bex —7A **2**
Kennedy Ho. Grav —3H **15**
Kennet Rd. Dart —3F **3**
Kent Rd. Dart —6J **3**
Kent Rd. Grav —1K **15**
Kent Rd. Long —2A **22**
Kenwood Av. Long —3F **23**
Kenwyn Rd. Dart —5J **3**
Kestner Ind. Est. Grnh —4H **5**
Kettlewell Ct. Swan —2E **18**
Keyes Rd. Dart —4A **4**
Khartoum Pl. Grav —6B **8**
Kilndown. Grav —6C **16**
King Edward Av. Dart —6J **3**
King Edward Rd. Grnh —5H **5**
King's Clo. Dart —4D **2**
Kingsdown Clo. Grav —1E **16**
Kings Dri. Grav —3A **16**
Kingsfield Ter. Dart —5J **3**
Kingsingfield Clo. W King —7B **24**
Kingsingfield Rd. W King —7B **24**
Kingsley Av. Dart —5B **4**
Kingsley Ct. Bexh —5A **2**
Kingsridge Gdns. Dart —6J **3**
Kingston Ct. Grav —5E **6**
King St. Grav —6A **8**
Kingswood Av. Swan —4E **18**
Kingswood Clo. Dart —6H **3**
Kipling Av. Til —1A **8**
Kipling Rd. Dart —5C **4**
Kirby Rd. Dart —7E **4**
Kitchener Av. Grav —4B **16**
Knatts Valley Rd. Knat —6A **24**
Knights Croft. New Ash —3J **25**
Knights Mnr. Way. Dart —5A **4**
Knockhall Chase. Grnh —5J **5**
Knockhall Rd. Grnh —6K **5**
Knole Rd. Dart —7F **3**
Knole, The. Grav —7H **15**
Knoll Rd. Bex —6A **2**

Laburnum Av. Dart —1H **11**
Laburnum Av. Swan —3C **18**
Laburnum Gro. Grav —7G **7**
Ladds Way. Swan —4C **18**
Ladyfields. Grav —4J **15**
Ladywood Rd. Dart —5F **13**
Lagonda Way. Dart —4H **3**
Lambardes. New Ash —3J **25**
Lamb Clo. Til —2B **8**
Lamorna Av. Grav —2C **16**
Lamplighters Clo. Dart —6A **4**
Lance Croft. New Ash —2J **25**
Lances Clo. Meop —7K **23**
Landseer Av. Grav —3G **15**
Lane Av. Grnh —6K **5**
Lane End. Bexh —3A **2**
Lanes Av. Grav —3J **15**
Langafel Clo. Long —2B **22**
Langdale Cres. Bexh —1A **2**
Langdale Wlk. Grav —3H **15**
Langlands Dri. Dart —5F **13**
Langworth Clo. Dart —3J **11**
Lansbury Cres. Dart —5B **4**
Lansbury Gdns. Til —1K **7**
Lansdowne Rd. Til —2J **7**
Lansdowne Sq. Grav —6J **7**
Lansdown Pl. Grav —1J **15**
Lansdown Rd. Grav —1J **15**
Lapis Clo. Grav —1G **17**
Lapwings. Long —3E **22**
Lapwings, The. Grav —2C **16**
Larch Rd. Dart —7J **3**
Larch Wlk. Swan —2C **18**
Largo Wlk. Eri —1D **2**
Larkfields. Grav —3H **15**
Larks Field. Hart —4C **22**
Larkswood Clo. Eri —1F **3**
Larner Rd. Eri —1D **2**
Latham Rd. Bexh —5A **2**
Latona Dri. Grav —5E **16**
Laura Dri. Swan —7F **11**
Laurel Av. Grav —2B **16**
Laurel Clo. Dart —1H **11**
Laurels, The. Long —3G **23**
Laurels, The. Wilm —3H **11**
Lavender Hill. Swan —3C **18**
Lavernock Rd. Bexh —2A **2**
Lavinia Rd. Dart —6A **4**
Lawford Gdns. Dart —5H **3**
Lawn Clo. Hex —2B **18**
Lawn Rd. Grav —5F **7**
Lawrance Sq. Grav —2J **15**
Lawrence Hill Gdns. Dart —6H **3**
Lawrence Hill Rd. Dart —6H **3**
Lawson Gdns. Dart —5J **3**
Lawson Rd. Dart —4J **3**
Leander Dri. Grav —4E **16**
Lea Vale. Dart —4C **2**
Leechcroft Av. Swan —3E **18**
Leewood Pl. Swan —4C **18**
Leicester Rd. Til —1J **7**
Leigh Rd. Grav —2A **16**
Leighton Gdns. Til —1K **7**
Leith Pk. Rd. Grav —1A **16**
Lennox Av. Grav —6K **7**
Lennox Rd. Grav —6J **7**
Lennox Rd. E. Grav —7K **7**
Leonard Av. Swans —7B **6**
Lesley Clo. Bex —7A **2**
Lesley Clo. Grav —1J **23**
Lesley Clo. Swan —3C **18**
Lesney Farm Est. Eri —1C **2**
Lewis Ct. Grav —2J **15**
Lewis Rd. Grav —1J **23**
Lewis Rd. Swans —6B **6**
Leycroft Gdns. Eri —1G **3**
Leydenhatch La. Swan —1B **18**
Leyhill Clo. Swan —4D **18**
Leysdown Av. Bexh —4B **2**
Leyton Cross Rd. Dart —3E **10**
Lilac Gdns. Swan —3C **18**
Lilac Pl. Meop —6K **23**
Lila Pl. Swan —4D **18**
Lime Av. Grav —7G **7**
Lime Rd. Swan —3C **18**
Limewood Rd. Eri —1B **2**
Lincoln Clo. Eri —2E **2**
Lincoln Rd. Eri —2E **2**
(in two parts)
Lincolnshire Ter. Dart —4E **12**
Linden Av. Dart —1H **11**
Lindisfarne Clo. Grav —2D **16**
Lingfield Av. Dart —7C **4**
Lingfield Rd. Grav —2A **16**
Lingwood. Bexh —2A **2**
Links View. Dart —1H **11**
Link, The. New Ash —2H **25**
Lisle Clo. Grav —2G **17**
Lister Rd. Til —2K **7**
Littlebrook Mnr. Way. Dart —5B **4**
Littlecroft. Grav —7H **15**
Littledale. Grn St —3D **12**
Lit. Queen St. Dart —7A **4**
Livingstone Gdns. Grav —5C **16**
Livingstone Rd. Grav —5C **16**
Loam Ct. Dart —1K **11**
Lodge Av. Dart —6H **3**
Lombard St. Hort K —5D **20**
London Rd. Cray —5C **2**
London Rd. Dart & Grnh —7C **4**
London Rd. F'ham —6J **19**
London Rd. Grnh & Swans —5J **5**
London Rd. N'fleet —6G **7**
London Rd. Swan —2B **18**
(in four parts)
London Rd. Til —2A **8**
London Rd. W King —5A **24**
Longfield Av. Long & Grav —2F **23**
Longfield Rd. Long & Meop —5G **23**
Long La. Bexh —2A **2**
Longmarsh View. S at H —1C **20**
Longtown Ct. Dart —6C 4
(off Clifton Wlk.)
Longtown Ct. Dart —6C 4
(off Osborne Rd.)
Longwalk. Grav —1H **23**
Lonsdale Cres. Dart —1D **12**
Lord St. Grav —7A **8**
Lordswood Clo. Dart —4F **13**
Lorton Clo. Grav —2D **16**
Lorton Rd. Grav —2C **16**
Louvain Rd. Grnh —7F **5**
Lovelace Clo. W King —6B **24**
Love La. Grav —7B **8**
Lovers La. Grnh —4K **5**
Low Clo. Grnh —5H **5**
Lwr. Church Hill. Grnh —5F **5**
Lwr. Croft. Swan —4E **18**
Lwr. Higham Rd. Grav —1E **16**
Lwr. Hythe St. Dart —5K **3**
Lwr. Range Rd. Grav —7D **8**
Lower Rd. Grav —4B **6**
Lower Rd. Shorne —2K **17**
Lower Rd. Swan —7E **10**
Lower Rd. Til —4K **7**
Lwr. Station Rd. Cray —6D **2**
Lowfield St. Dart —7K **3**
Lullingstone Av. Swan —3E **18**
Lunedale Rd. Dart —1D **12**
Lydford Ct. Dart —6C 4
(off Clifton Wlk.)
Lydia Cotts. Grav —7A **8**
Lynden Way. Swan —3B **18**
Lyndhurst Clo. Bexh —3A **2**
Lyndhurst Rd. Bexh —3A **2**
Lyndhurst Way. Grav —1H **23**
Lynsted Clo. Bexh —5A **2**
Lynton Rd. Grav —1K **15**
Lynton Rd. S. Grav —1K **15**

Mabel Rd. Swan —6F **11**
Mackenzie Way. Grav —6C **16**
Macmillan Gdns. Dart —4B **4**
Madden Clo. Swans —6A **6**
Maida Vale Rd. Dart —5F **3**
Maiden La. Dart —4F **3**
Main Rd. Crock —6C **18**
Main Rd. F'ham —6A **20**
Main Rd. Hex —7E **10**
Main Rd. Long —2A **22**
Main Rd. S at H —6C **12**
Mallard Clo. Dart —5A **4**
Mallow Clo. Grav —4H **15**
Mall, The. Swan —3D **18**
Mallys Pl. S Dar —1D **20**
Malta Rd. Til —2J **7**
Malthouse La. Shorne —5K **17**
Malthouse Rd. Stans —7J **25**
Maltings, The. Grav —6K 7
(off Clifton Rd.)
Malvern Ho. Grav —6G 7
(off Laburnum Gro.)
Malvina Av. Grav —2A **16**
Malyons Rd. Swan —7E **10**
Manor Clo. Cray —4C **2**
Manor Clo. Grav —2G **17**
Manor Clo. Wilm —3F **11**
Manor Ct. Bexh —5A **2**
Manor Dri. Hart —6D **22**
Manor Farm. F'ham —6A **20**
Manor Field. Shorne —5K **17**
Manor Forstal. New Ash —3J **25**
Manor Ho. Fawk —3A **24**
Manor La. Fawk & Sev —7K **21**
Manor La. Hart —6D **22**
Manor Pl. Dart —1K **11**
Manor Rd. Bex —1A **10**
Manor Rd. Dart —4D **2**
Manor Rd. Grav —6A **8**
Manor Rd. Long —5F **23**
Manor Rd. Swans —6A **6**
Manor Rd. Til —2K **7**
Manor View. Hart —6D **22**
Manor Way. Bexh —3C **2**
Manor Way. Swans —4A **6**
Mansen Rd. Grav —5C **16**
Manse Pde. Swan —4F **19**
Manse Way. Swan —4F **19**
Mansfield Rd. Swan —6D **10**
Maple Clo. Swan —2D **18**
Maple Rd. Dart —2H **11**
Maple Rd. Grav —4B **16**
Marcet Rd. Dart —5H **3**
Marconi Rd. Grav —3G **15**
Marcus Rd. Dart —7F **3**
Marden Cres. Bex —5B **2**
Marina Dri. Dart —1B **12**
Marina Dri. Grav —7J **7**
Mariners Ct. Grnh —4J **5**
Maritime Clo. Grnh —5J **5**
Market All. Grav —6A **8**
Market Pl. Dart —7K **3**
Market St. Dart —7K **3**
Mark La. Grav —7D **8**
(in two parts)
Marks Sq. Grav —4J **15**
Mark Way. Swan —5F **19**
Marlborough Rd. Dart —6H **3**
Marling Way. Grav —6D **16**
Marlowes, The. Dart —4C **2**
Marriott Rd. Dart —7A **4**
Marriotts Wharf. Grav —5A **8**
Marsh St. Dart —2B **4**
(in two parts)
Martens Av. Bexh —4A **2**
Martens Clo. Bexh —4B **2**
Martin Dri. Dart —6D **4**
Martin Ho. Grav —3K **15**
Martin Rd. Dart —3H **11**
Maryfield Clo. Bex —3D **10**
Masefield Clo. Eri —1E **2**
Masefield Rd. Dart —5C **4**
Masefield Rd. Grav —3G **15**
Mason Clo. Bexh —3A **2**
Masthead Clo. Dart —4D **4**
Maude Rd. Swan —6F **11**
Maxim Rd. Dart —5D **2**
May Av. Grav —1J **15**
May Av. Ind. Est. Grav —1J 15
(off May Av.)
Maybury Av. Dart —1D **12**
Mayes Clo. Swan —4F **19**
Mayfair Rd. Dart —5J **3**
Mayfield Rd. Grav —7J **7**
Mayfields. Swans —6B **6**
Mayor's La. Dart —4H **11**
Mayplace Av. Dart —4F **3**
Mayplace Clo. Bexh —3A **2**
Mayplace Rd. E. Bexh & Dart —3A **2**
Mayplace Rd. W. Bexh —4A **2**
Maypole Rd. Grav —1E **16**
May Rd. Dart —4A **12**
Mead Clo. Swan —5F **19**
Mead Cres. Dart —1J **11**
Meadow Bank Clo. W King —7C **24**
Meadow La. New Ash —2J **25**
Meadow Rd. Grav —2K **15**
Meadow Rd. N'fleet —1F **15**
Meadowside. Dart —1K **11**
Meadow Wlk. Dart —4H **11**
Meadow Way. Dart —7D **4**
Mead Rd. Dart —1J **11**

Mead Rd. Grav —2A 16
Mead, The. New Ash —2H 25
Medbury Rd. Grav —1E 16
Medhurst Cres. Grav —2E 16
Medhurst Gdns. Grav —3E 16
Medina Ho. Eri —1D 2
Medlars, The. Meop —6K 23
Medway Rd. Dart —3F 3
Melba Gdns. Til —1K 7
Melbourne Ct. Grav —5A 8
Melbourne Rd. Til —1H 7
Melliker La. Meop —6J 23
Mendip Rd. Bexh —1D 2
Mera Dri. Bexh —4A 2
Merewood Rd. Bexh —2B 2
Mermerus Gdns. Grav —4E 16
Merton Av. Hart —4B 22
Mews, The. Hart —3B 22
Michael Gdns. Grav —5D 16
Michaels La. Fawk & Sev —2E 24
Middleham Ct. Dart —6C 4 (off Osborne Rd.)
Midfield Av. Bexh —3B 2
Midfield Av. Swan —6F 11
Midfield Pl. Bexh —3B 2
Mike Spring Ct. Grav —4C 16
Mildred Clo. Dart —6B 4
Milestone Rd. Dart —6C 4
Millbro. Swan —1F 19
Mill Ct. Hort K —2D 20
Miller Rd. Grav —2F 17
Millfield. New Ash —2H 25
Millfield Dri. Grav —2H 15
Millfield La. New Ash —2H 25
Millfield Rd. W King —6A 24
Mill Hill La. Shorne —5J 17
Mill Pl. Dart —4F 3
Mill Pond Rd. Dart —6K 3
Mill Rd. Dart —4A 12
Mill Rd. Eri —1B 2
Mill Rd. Grav —7H 7
Mill Row. Bex —7A 2
Mill Stone Clo. S Dar —2D 20
Mill Stone M. Hort K —1D 20
Milroy Av. Grav —2H 15
Milton Av. Grav —1B 16
Milton Ct. Grav —1B 16
Milton Gdns. Til —1A 8
Milton Hall Rd. Grav —1C 16
Milton Pl. Grav —6B 8
Milton Rd. Grav —6A 8 (in two parts)
Milton Rd. Swans —6B 6
Milton St. Swans —6A 6
Minnis, The. New Ash —3J 25
Miskin Rd. Dart —7H 3
Miskin Way. Grav —6C 16
Mitchell Av. Grav —2G 15
Mitchell Clo. Dart —2K 11
Mitchell Wlk. Swans —7B 6
Mitchem Clo. W King —7B 24
Moat La. Eri —1F 3
Monarch Clo. Til —2A 8
Monks Orchard. Dart —2J 11
Monks Wlk. S'fleet —6D 14
Monterey Clo. Bex —2B 10
Montgomery Rd. S Dar —1E 20
Montreal Rd. Til —3K 7
Moore Av. Til —2A 8
Moore Rd. Swans —6B 6
Morello Clo. Swan —4C 18
Moreton Clo. Swan —2D 18
Moreton Ct. Dart —3E 2
Moreton Ind. Est. Swan —4G 19
Morgan Dri. Grnh —7F 5
Morland Av. Dart —5G 3
Mornington Ct. Bex —1C 10
Morris Gdns. Dart —5B 4
Mote, The. New Ash —2J 25
Moultain Hill. Swan —4F 19
Mt. Pleasant Rd. Dart —6A 4
Mt. Pleasant Wlk. Bex —5B 2
Mount Rd. Dart —6E 2
Mounts Rd. Grnh —5J 5
Mount, The. Bexh —5A 2
Muggins La. Shorne —4H 17
Mulberry Clo. Meop —6K 23
Mulberry Rd. Grav —3H 15
Mullender Ct. Grav —1F 17
Multon Rd. W King —6B 24
Munford Dri. Swans —7B 6
Mungo Pk. Rd. Grav —5C 16
Mussenden La. Hort K & Fawk —5D 20
Myrtle Clo. Eri —1D 2
Myrtle Pl. Dart —7E 4
Myrtle Rd. Dart —1J 11

Nairn Ct. Til —2J 7
Nansen Rd. Grav —4C 16
Napier Rd. Grav —1J 15
Nash Bank. Meop —2J 23
Nash Croft. Grav —4H 15
Nash St. Meop —2K 23
Neal Rd. W King —6B 24
Nelson Ho. Grnh —5A 6
Nelson Rd. Dart —6H 3
Nelson Rd. Grav —2J 15
Nevill Pl. Meop —5K 23
New Barn Rd. Long & S'fleet —3E 22
New Barn Rd. Swan —1D 18
Newbery Rd. Eri —1E 2
New Ho. La. Grav —3J 15
Newick Clo. Bex —6A 2
Newmans Rd. Grav —2J 15
Newports. Swan —7C 18
New Rd. Grav —6A 8
New Rd. Hex —7E 10
New Rd. Meop —5J 23
New Rd. S Dar —2D 20
New Rd. Swan —3E 18
Newton Abbot Rd. Grav —2J 15
Newton Rd. Til —3K 7
Newtons Ct. Dart —4E 4
Nibbs Clo. Swan —2C 18
Nickleby Rd. Grav —1F 17
Nightingale Clo. Grav —3H 15
Nightingale Gro. Dart —4B 4
Nightingale Way. Swan —3D 18
Nine Elms Gro. Grav —7K 7
Norfield Rd. Dart —4B 10
Norfolk Clo. Dart —5B 4
Norfolk Rd. Grav —6C 8 (in two parts)
Norham Ct. Dart —6C 4 (off Osborne Rd.)
Normandy Way. Eri —1D 2
Norman Rd. Dart —1K 11
Norman's Clo. Grav —7K 7
Norris Way. Dart —3E 2
Northall Rd. Bexh —2B 2
N. Ash Rd. New Ash —3H 25
Northcote Rd. Grav —1J 15
N. Cray Rd. Bex —2A 10
Northdown Rd. Long —2A 22
Northend Rd. Eri —1E 2
Northfield. Hart —3C 22
Northfleet Ind. Est. Grav —4C 6
N. Kent Av. Grav —6F 7
N. Ridge Rd. Grav —3B 16
N. Riding. Hart —3G 23
North Rd. Dart —6E 2
North Sq. New Ash —2J 25
North St. Bexh —4A 2
North St. Dart —7J 3
North St. Grav —7A 8
Northumberland Clo. Eri —1B 2
Northumberland Rd. Grav —7J 15
Northumberland Way. Eri —1B 2
Northview. Swan —2D 18
N. View Av. Til —1K 7
Norwich Pl. Bexh —4A 2
Norwood La. Meop —5K 23
Nuffield Rd. Swan —6F 11
Nursery Clo. Dart —7D 4
Nursery Clo. Swan —2B 18
Nursery Rd. Meop —5K 23
Nursery, The. Eri —1E 2
Nurstead Av. Long —4G 23
Nurstead Chu. Rd. Meop —4J 23
Nurstead La. Long —4G 23
Nurstead Rd. Eri —1A 2
Nuthatch. Long —3E 22
Nutley Clo. Swan —1E 18
Nutmead Clo. Bex —1B 10

Oak Clo. Dart —4E 2
Oakfield La. Dart —2D 10
Oakfield Pk. Rd. Dart —2J 11
Oakfield Pl. Dart —2J 11
Oakhouse Rd. Bexh —5A 2
Oaklands Clo. W King —6B 24
Oaklands Rd. Dart —1D 12
Oaklands Rd. Grav —4J 15
Oakleigh Clo. Swan —3D 18
Oak Rd. Eri —2F 3
Oak Rd. Grav —3B 16
Oak Rd. Grnh —6F 5
Oak Rd. N Hth —1B 2
Oaks, The. Swan —2D 18
Oakwood Clo. Dart —1C 12
Oakwood Ct. Swan —2B 18 (off Lawn Clo.)
Oakwood Dri. Bexh —4C 2
Oakwood Rise. Long —3B 22
Oast Way. Hart —6B 22
Old Barn Way. Bexh —4C 2
Old Bexley La. Bex & Dart (in two parts) —2C 10
Old Chapel Rd. Swan —7B 18
Old Dartford Rd. F'ham —6A 20
Old Downs. Hart —5B 22
Old Farm Gdns. Swan —3E 18
Old London Rd. Sidc —7A 10
Old Manor Dri. Grav —1B 16
Old Manor Way. Bexh —2C 2
Old Parsonage Yd., The. Hort K —4D 20
Old Perry St. Grav —2H 15
Old Rd. Dart —5C 2
Old Rd. E. Grav —1A 16
Old Rd. W. Grav —1J 15
Old Watling St. Grav —5K 15
Old Yews, The. Long —3E 22
Oliver Cres. F'ham —7A 20
Olive Rd. Dart —1J 11
Oliver Rd. Grays —1G 5
Oliver Rd. Swan —3C 18
Olivers Mill. New Ash —2H 25
Orbital One. Dart —2C 12
Orchard Av. Dart —7G 3
Orchard Av. Grav —5A 16
Orchard Clo. Long —2E 22
Orchard Dri. Meop —5J 23
Orchard Hill. Dart —5D 2
Orchard Lea. S'fleet —5C 14
Orchard Rd. Grav —2F 15
Orchard Rd. Swans —5B 6
Orchards, The. Dart —6K 3
Orchard St. Dart —6K 3
Orchard, The. Swan —2C 18
Orchard Way. Dart —3J 11
Ordnance Rd. Grav —6B 8
Orford Ct. Dart —6C 4 (off Grange Cres.)
Orford Ct. Dart —6C 4 (off Osborne Rd.)
Orlick Rd. Grav —1G 17
Osborne Rd. Dart —6C 4
Osney Way. Grav —2E 16
Osterberg Rd. Dart —4A 4
Otford Clo. Bex —6A 2
Ottawa Rd. Til —2K 7
Oval, The. Long —3F 23
Overcliffe. Grav —6K 7
Overmead. Swan —5D 18
Over Minnis. New Ash —3J 25
Overy St. Dart —6K 3
Oxford Clo. Grav —2E 16
Oxford M. Bex —7A 2

Packham Rd. Grav —3J 15
Paddock Clo. S Dar —1D 20
Pageant Clo. Til —1B 8
Page Clo. Bean —3K 13
Page Cres. Eri —1E 2
Painters Ash La. Grav —3G 15
Palmar Cres. Bexh —2A 2
Palmer Av. Grav —4C 16
Panter's. Swan —7E 10
Parade, The. Dart —5E 2
Parade, The. Grav —2C 16
Parade, The. Meop —7K 23
Parade, The. Swan —3D 18
Parade, The. Swans —5C 6
Park Av. Grav —1B 16
Park Av. N'fleet —1H 15
Park Corner Rd. Grav —3D 14
Park Corner Rd. S'fleet —4C 14
Park Dri. Long —3B 22
Parker Av. Til —1B 8
Parkfield. Hart —4B 22
Park Gro. Bexh —4B 2
Park Hill. Meop —4H 23
Parkhurst Rd. Bex —7A 2
Park La. Swan —2H 19
Park Pl. Grav —6B 8
Park Rd. Dart —7B 4
Park Rd. Grav —1A 16
Park Rd. Swan —3E 18
Park Rd. Swans —6B 6
Parkside Av. Bexh —2C 2
Parkside Av. Til —2A 8
Parkside Cross. Bexh —2D 2
Park Ter. Grnh —5K 5
Park Way. Bex —3D 10
Parrock Av. Grav —1B 16
Parrock Rd. Grav —1B 16
Parrock St. Grav —6A 8
Parrock, The. Grav —1B 16
Parsonage La. Sidc —5A 10
Parsonage La. S at H —6C 12
Parsons La. Dart —3G 11
Patterdale Rd. Dart —1E 12
Patterson Ct. Dart —5B 4
Peach Croft. Grav —3G 15
Peacock St. Grav —7B 8
Peareswood Rd. Eri —1E 2
Peartree Clo. Eri —1C 2
Pear Tree Clo. Swan —2C 18
Peartree La. Shorne —7K 17
Pease Hill. Ash —6H 25
Pedham Pl. Est. Swan —6F 19
Pegasus Ct. Grav —3B 16
Pelham Cotts. Bex —1A 10
Pelham Pl. Est. Swan —5F 19
Pelham Rd. Bexh —3A 2
Pelham Rd. Grav —1J 15
Pelham Rd. S. Grav —1J 15
Pelham Ter. Grav —7J 7
Pemberton Gdns. Swan —3D 18
Pembroke Pl. S at H —1C 20
Pencroft Dri. Dart —7H 3
Penenden. New Ash —2J 25
Penney Clo. Dart —7J 3
Pennine Way. Bexh —1D 2
Pennine Way. Grav —3H 15
Pennis La. Fawk —6A 22
Penshurst Clo. Long —2G 23
Penshurst Clo. W King —6B 24
Pepperhill. Grav —3F 15
Pepperhill La. Grav —2F 15
Pepys Clo. Dart —4B 4
Pepys Clo. Grav —3G 15
Pepys Clo. Til —1B 8
Perkins Clo. Grnh —5G 5
Perram Clo. Hart —4C 22
Perry Gro. Dart —4B 4
Perry St. Dart —4D 2
Perry St. Grav —1J 15
Perth Ho. Til —2K 7
Pescot Av. Long —3D 22
Peter St. Grav —7A 8
Peveril Ct. Dart —6C 4 (off Clifton Wlk.)
Phelps Clo. W King —6B 24
Philip Av. Swan —4C 18
Phillips Clo. Dart —6G 3
Phoenix Pl. Dart —7J 3
Pickering Ct. Dart —6C 4 (off Osborne Rd.)
Pickwick Gdns. Grav —3G 15
Pickwick Ho. Grav —3G 15
Pier Rd. Grav —6J 7
Pier Rd. Grnh —4J 5
Pilgrim's Ct. Dart —5B 4
Pilgrims Rd. Swans —4B 6
Pilgrims View. Grnh —6K 5
Pilgrims Way. Dart —1B 12
Pilots Pl. Grav —6B 8
Pincroft Wood. Long —3F 23
Pine Av. Grav —1C 16
Pine Clo. Swan —4E 18
Pine Rise. Meop —6K 23
Pink's Hill. Swan —5D 18
Pinnacle Hill. Bexh —4A 2
Pinnacle Hill N. Bexh —4A 2
Pinnocks Av. Grav —1A 16
Pioneer Way. Swan —3D 18
Pippins, The. Meop —6K 23
Pirrip Clo. Grav —1E 16
Pitfield. Hart —4C 22
Plane Av. Grav —7G 7
Plantation Rd. Eri —1F 3
Plantation Rd. Swan —7F 11
Pondfield La. Shorne —7K 17
Poplar Av. Grav —4B 16
Poplars Clo. Long —3F 23
Poplar Wlk. Meop —6K 23
Porchester Clo. Hart —4C 22
Porchfield Clo. Grav —2B 16
Port Av. Grnh —6J 5
Portland Av. Grav —2A 16
Portland Rd. Grav —1A 16
Portland Rd. N'fleet —6G 7
Portman Clo. Bex —1D 10
Portobello Pde. W King —7D 24
Portsea Rd. Til —1B 8
Pottery Rd. Bex —2B 10
Pound Bank Clo. W King —7C 24
Powder Mill La. Dart —2K 11
Power Ind. Est. Eri —1F 3
Poynder Rd. Til —1A 8
Preston Rd. Grav —1H 15
Pretoria Ho. Eri —1D 2
Priest Wlk. Grav —2F 17
Primmett Clo. W King —6B 24
Primrose Ter. Grav —1B 16
Prince Charles Av. S Dar —2E 20
Princes Av. Dart —1C 12
Princes Rd. Dart —6F 3
Princes Rd. Grav —3B 16
Princes Rd. Swan —7F 11
Princesses Pde. Dart —5D 2 (off Waterside)
Princess Margaret Rd. E Til —1J 9
Princes St. Grav —6A 8
Princes View. Dart —1B 12
Priory Cen. Dart —6J 3
Priory Clo. Dart —5J 3
Priory Ct. Dart —6J 3
Priory Gdns. Dart —5J 3
Priory Hill. Dart —6J 3
Priory Pl. Dart —6J 3
Priory Rd. Dart —4J 3 (in two parts)
Prospect Gro. Grav —7C 8
Prospect Pl. Dart —6K 3
Prospect Pl. Grav —7C 8
Providence St. Grnh —5H 5
Prudhoe Ct. Dart —6C 4 (off Osborne Rd.)
Puddledock La. Dart —5D 10
Punch Croft. New Ash —3H 25

Quakers Clo. Hart —3B 22
Quantock Rd. Bexh —2D 2
Quay La. Grnh —4J 5
Quebec Rd. Til —2K 7
Queen Elizabeth Pl. Til —4K 7
Queen Elizabeth II Bri. Dart & Grays —3E 4
Queen's Farm Rd. Shorne —2K 17
Queens Gdns. Dart —1C 12
Queens Rd. Grav —3B 16
Queen St. Grav —6A 8

Rabbits Rd. S Dar —2E 20
Racefield Clo. Shorne —7K 17
Raeburn Av. Dart —5G 3
Railway Pl. Grav —6A 8
Railway St. Grav —5D 6
Ramsden Rd. Eri —1C 2
Randolph Clo. Bexh —3B 2
Ranelagh Gdns. Grav —7J 7
Range Rd. Grav —7D 8
Ranworth Clo. Eri —2D 2
Raphael Av. Til —1K 7
Raphael Rd. Grav —7C 8
Rashleigh Way. Hort K —4D 20
Rathmore Rd. Grav —7A 8
Ravensbourne Rd. Dart —3F 3
Rayford Clo. Dart —5H 3
Rayner's Ct. Grav —6F 7
Rays Hill. Hort K —4D 20
Read Way. Grav —5C 16
Rectory Clo. Dart —4D 2
Rectory Meadow. S'fleet —6D 14
Rectory Rd. Swans —7B 6
Redhill Rd. New Ash —4H 25
Redhill Wood. New Ash —3K 25
Red Lodge Cres. Bex —3C 10
Red Lodge Rd. Bex —3C 10
Red St. S'fleet —5D 14
Reeves Cres. Swan —3C 18
Regency Clo. W King —6B 24
Regents Ct. Grav —5A 8
Rembrandt Dri. Grav —3G 15
Ribblesdale Rd. Dart —1D 12
Richardson Clo. Grnh —5G 5
Rich Ind. Est. Dart —5E 2
Richmer Rd. Eri —1F 3
Ridge Av. Dart —6E 2
Ridgecroft Clo. Bex —1B 10
Ridge Way. Cray —6E 2
Ridgeway. Dart —5F 13
Ridgeway Av. Grav —3A 16
Ridgeway Bungalows. Shorne —7K 17
Ridgeway, The. Shorne —7K 17
Risedale Rd. Bexh —3B 2
Rise, The. Dart —4E 2
Rise, The. Grav —4D 16
Riversdale. Grav —3H 15
Riverside Ind. Est. Dart —5K 3

Riverside Way. Dart —5K **3**
Riverview Rd. Grnh —5H **5**
Robina Av. Grav —7G **7**
Robina Ct. Swan —4F **19**
Robyns Croft. Grav —4H **15**
Rochester Dri. Bex —6A **2**
Rochester Rd. Dart —7B **4**
Rochester Rd. Grav —7D **8**
Rochester Way. Dart —7C **2**
Roehampton Clo. Grav —7D **8**
Rogers Ct. Swan —4F **19**
Rogers Wood La. Fawk —4D **24**
Rollo Rd. Swan —7E **10**
Roman Rd. Grav —3F **15**
Roman Villa Rd. Dart —5D **12**
Roman Way. Dart —5D **2**
Romney Rd. Grav —3H **15**
Rose Av. Grav —1D **16**
Roseberry Gdns. Dart —7H **3**
Rosedale Clo. Dart —7C **4**
Rosedene Ct. Dart —7H **3**
Rosegarth. Grav —1H **23**
Rose St. Grav —6E **6**
Rose Vs. Dart —7C **4**
Rosewood. Dart —4D **10**
Rosher Ho. Grav —6J **7**
Rosherville Way. Grav —7H **7**
Rossland Clo. Bexh —5A **2**
Ross Rd. Dart —6F **3**
Rouge La. Grav —7A **8**
Round Ash Way. Hart —6B **22**
Rowan Clo. Meop —6K **23**
Rowan Cres. Dart —1H **11**
Rowan Rd. Swan —3C **18**
Rowans Clo. Long —2A **22**
Rowhill Rd. Swan & Dart —6E **10**
Rowlatt Clo. Dart —4H **11**
Rowlatt Rd. Dart —4H **11**
Row, The. New Ash —2J **25**
Rowzil Rd. Swan —6E **10**
Royal Oak Ter. Grav —1B 16
(off Constitution Hill)
Royal Pier M. Grav —6A **8**
Royal Pier Rd. Grav —6A **8**
Royal Rd. Dart —5B **12**
Royston Rd. Dart —6E **2**
Rudland Rd. Bexh —3A **2**
Ruffets Wood. Grav —6B **16**
Rumania Wlk. Grav —3F **16**
Runnymede Ct. Dart —1D **12**
Rural Vale. Grav —7H **7**
Rushetts Rd. W King —7B **24**
Ruskin Gro. Dart —6B **4**
Russell Clo. Dart —4F **3**
Russell Pl. S at H —1B **20**
Russell Rd. Grav —6C **8**
Russell Rd. Til —1H **7**
Russell Sq. Long —3A **22**
Russell St. Grav —7A **8**
Russell Ter. Hort K —4D **20**
Russets, The. Meop —6K **23**
Russett Way. Swan —1C **18**
Rutland Clo. Dart —7J **3**
Ruxton Clo. Swan —3D **18**
Ruxton Ct. Swan —3D **18**
Rydal Dri. Bexh —1A **2**
Rye Clo. Bex —6A **2**

Sackville Rd. Dart —2K **11**
Saddington St. Grav —7A **8**
St Aidan's Way. Grav —3D **16**
St Alban's Clo. Grav —3C **16**
St Alban's Gdns. Grav —3C **16**
St Alban's Rd. Dart —6A **4**
St Andrew's Ct. Grav —6A 8
(off Queen St.)
St Andrews Ct. Swan —3D **18**
St Andrew's Rd. Grav —7A **8**
St Andrew's Rd. Til —1H **7**
St Audrey Av. Bexh —2A **2**
St Benedict's Av. Grav —3D **16**
St Botolph Rd. Grav —3G **15**
St Chad's Dri. Grav —3D **16**
St Chads Rd. Til —1K **7**
St Columba's Clo. Grav —3D **16**
St David's Cres. Grav —4C **16**
St Davids Rd. Swan —6E **10**
St Dunstan's Dri. Grav —3D **16**
St Edmund's Rd. Dart —4B **4**
St Francis Av. Grav —4D **16**
St George's Cen. Grav —6A **8**
St George's Cres. Grav —4C **16**
St Georges Rd. Swan —4E **18**
St Georges Sq. Grav —6A **8**
St Georges Sq. Long —3B **22**
St Gregory's Ct. Grav —2D **16**
St Gregory's Cres. Grav —2D **16**
St Hilda's Way. Grav —4C **16**
St James La. Grnh —1F **13**
St James Oak. Grav —7K **7**
St James Pl. Dart —6J **3**
St James's Av. Grav —7K **7**
St James Sq. Long —3B **22**
St James's Rd. Grav —6K **7**
St James's St. Grav —6K **7**
St John's Clo. Hart —5C **22**
St John's La. Hart —6C **22**
St John's Rd. Dart —7D **4**
St John's Rd. Grav —7C **8**
St Luke's Clo. Dart —5F **13**
St Luke's Clo. Swan —2C **18**
St Margaret's Cres. Grav —3D **16**
St Margarets Rd. Grav —1H **15**
St Margarets Rd. S Dar & Grn St —1E **20**
St Mark's Av. Grav —7H **7**
St Martin's Rd. Dart —6A **4**
St Mary's Clo. Grav —2B **16**
St Mary's Rd. Bex —1B **10**
St Mary's Rd. Grnh —5F **5**
St Mary's Rd. Swan —4C **18**
St Mary's Way. Long —3B **22**
St Patrick's Gdns. Grav —3C **16**
St Paulinus Ct. Dart —4D 2
(off Manor Rd.)
St Paul's Clo. Swans —7B **6**
St Paul's Rd. Eri —1B **2**
St Peter's Clo. Swans —7C **6**
St Thomas Rd. Grav —2H **15**
St Thomas's Almshouses. Grav —1A **16**
St Thomas's Av. Grav —1A **16**
St Vincents Av. Dart —5B **4**
St Vincents Rd. Dart —6B **4**
St Vincents Vs. Dart —6K **3**
Salcote Rd. Grav —5D **16**
Salem Pl. Grav —7G **7**
Salisbury Av. Swan —4F **19**
Salisbury Rd. Dart —7D **4**
Salisbury Rd. Grav —1J **15**
Sanctuary Clo. Dart —6H **3**
Sandbanks Hill. Bean —6J **13**
Sandhurst Rd. Til —2B **8**
Sandown Rd. Grav —6B **16**
Sandpipers, The. Grav —2C **16**
Sandpit Rd. Dart —4H **3**
Sandy Bank Rd. Grav —1A **16**
Sandy La. Bean —2K **13**
Sapho Pk. Grav —4E **16**
Sara Pk. Grav —4D **16**
Saunders Clo. Grav —2H **15**
Savoy Rd. Dart —5J **3**
Saxon Clo. Grav —3F **15**
Saxon Pl. Hort K —5D **20**
Saxon Rd. Dart —4K **11**
Sayer Clo. Grnh —5H **5**
Scantlebury Av. Grav —7G **7**
School Clo. Meop —7K **23**
School La. Bean —4K **13**
School La. Hort K —4D **20**
School La. Swan —1G **19**
School Rd. Grav —3B **16**
Schooner Ct. Dart —4D **4**
Scott Cres. Eri —1E **2**
Scott Rd. Grav —5C **16**
Scratchers La. Fawk —2A **24**
Scudders Hill. Fawk —6J **21**
Seaton Rd. Dart —7F **3**
Sedley. S'fleet —6D **14**
Selah Dri. Swan —1B **18**
Selbourne Clo. Long —3G **23**
Selkirk Dri. Eri —1D **2**
Selwyn Rd. Til —2J **7**
Sermon Dri. Swan —3B **18**
Seven Acres. New Ash —3H **25**
Seven Acres. Swan —6C **18**
Sevenoaks Clo. Bexh —4A **2**
Sexton Rd. Til —1J **7**
Seymour Rd. Grav —1J **15**
Seymour Rd. Til —1J **7**
Seymour Wlk. Swans —7B **6**
Shaftesbury La. Dart —4C **4**
Shaftsbury Ct. Eri —1E 2
(off Selkirk Dri.)
Shakespeare Av. Til —2A **8**
Shakespeare Rd. Dart —4B **4**
Shamrock Rd. Grav —7D **8**
Sharland Rd. Grav —2B **16**
Sharp Way. Dart —3A **4**
Shaw Cres. Til —1A **8**
Shears Grn. Ct. Grav —2K **15**
Shearwater. Long —3E **22**
Shearwood Cres. Dart —3E **2**
Shellbank La. Grn St —6H **13**
Shelley Pl. Til —1A **8**
Shenley Rd. Dart —4B **4**
Shenstone Clo. Dart —4C **2**
Shepherd's La. Dart —1F **11**
Shepherd St. Grav —7G **7**
Sheppey Clo. Eri —1G **3**
Sheppy Pl. Grav —7A **8**
Sherbourne Clo. W King —6B **24**
Sheridan Clo. Swan —4E **18**
Sheridan Ct. Dart —4B **4**
Ship La. Swan & S at H —1J **19**
Shirehall Rd. Dart —5H **11**
Shirley Clo. Dart —4H **3**
Shirley Clo. Grav —1G **17**
Shore, The. Grav —5G **7**
(in two parts)
Shorne Ifield Rd. Shorne —6F **17**
Shrimp Brand Cotts. Grav —5K **15**
Shrubbery Rd. Grav —1A **16**
Shrubbery Rd. S Dar —1E **20**
Shurlock Av. Swan —2C **18**
Shuttle Rd. Dart —3F **3**
Silecroft Rd. Bexh —1A **2**
Silver Birch Clo. Dart —4D **10**
Silverdale. Hart —4C **22**
Silverdale Rd. Bexh —2A **2**
Silver Rd. Grav —2D **16**
Sinclair Way. Dart —4E **12**
Singlewell Rd. Grav —2A **16**
Sirdar Strand. Grav —5E **16**
Skinney La. Hort K —3E **20**
Skippers Clo. Grnh —5J **5**
Slade Gdns. Eri —1E **2**
Slade Grn. Rd. Eri —1F **3**
Sloane Sq. Long —3B **22**
Small Grains. Fawk —3E **24**
Smarts Rd. Grav —2B **16**
Smugglers Wlk. Grnh —5J **5**
Smythe Rd. S at H —1B **20**
Snelling Av. N'fleet —2H **15**
Somerset Rd. Dart —6G **3**
Somerville Rd. Dart —6A **4**
Sorrel Way. Grav —4H **15**
Sounds Lodge. Swan —6B **18**
S. Ash Rd. Ash —7G **25**
Southern Pl. Swan —4C **18**
Southey Wlk. Til —1A **8**
Southfields. Swan —7D **10**
Southfields Rd. W King —7C **24**
Southfleet Av. Long —2E **22**
Southfleet Rd. Bean —4K **13**
Southfleet Rd. Grav —1J **15**
Southfleet Rd. Swans —7C **6**
S. Hall Clo. F'ham —7A **20**
S. Hill Rd. Grav —1B **16**
S. Kent Av. Grav —6F **7**
South Rd. Eri —1E **2**
South St. Grav —7A **8**
S. View Av. Til —1K **7**
S. View Clo. Swan —4F **19**
S. View Rd. Dart —3J **11**
Southwold Rd. Bex —6A **2**
Sovereign Ct. S at H —1B 20
(off Barton Rd.)
Sparepenny La. F'ham —7K **19**
Speedgate Hill. Fawk —2D **24**
Spencer St. Grav —7K **7**
Spencer Wlk. Til —2A **8**
Spielman Rd. Dart —4A **4**
Spindles. Til —1K **7**
Spinney, The. Swan —2D **18**
Spire Clo. Grav —1A **16**
Spires, The. Dart —2J **11**
Spital St. Dart —6J **3**
Springcroft. Hart —6D **22**
Spring Croft. New Ash —3J **25**
Spring Cross. New Ash —3K **25**
Springfield Av. Swan —4E **18**
Springfield Rd. Bexh —4A **2**
Spring Gro. Grav —1A **16**
Springhead Enterprise Pk. Grav —1E **14**
Springhead Rd. Grav —2F **15**
Spring Vale. Bexh —4A **2**
Spring Vale. Grnh —6K **5**
Spring Vale Clo. Swan —1E **18**
Springvale Ct. Grav —2F **15**
Spring Vale N. Dart —7J **3**
Spring Vale S. Dart —7J **3**
Sprucedale Clo. Swan —2D **18**
Spurrell Av. Bex —4C **10**
Square, The. Swan —3C **18**
Squires Way. Dart —4C **10**
Stacey Clo. Grav —5D **16**
Stacklands Clo. W King —6B **24**
Stack La. Hart —5C **22**
Stack La. Hort K —3D **20**
Stack Rd. Hort K —4E **20**
Stadium Way. Dart —5D **2**
Stanbrook Rd. Grav —1J **15**
Stanham Pl. Dart —4F **3**
Stanham Rd. Dart —5H **3**
Stanhill Cotts. Dart —7C **10**
Stanhope Rd. Swans —6C **6**
Stanley Clo. Grnh —5F **5**
Stanley Cotts. Grn St —5F **13**
Stanley Cres. Grav —5C **16**
Stanley Rd. Grav —1H **15**
Stanley Rd. Swans —6C **6**
Staple Clo. Bex —3C **10**
Starboard Av. Grnh —6J **5**
Star Hill. Dart —5D **2**
Starling Clo. Long —3E **22**
Station App. B'hurst —2B **2**
Station App. Bex —7A **2**
Station App. Cray —6E **2**
Station App. Dart —6K **3**
Station App. Meop —5K **23**
Station App. Swan —4D **18**
Station App. Rd. Til —4K **7**
Station Pde. Eri —2D **2**
Station Rd. Cray —7E **2**
Station Rd. Grav —6E **6**
Station Rd. Grnh —5H **5**
Station Rd. Long —3B **22**
Station Rd. Meop —5K **23**
Station Rd. S'fleet —4C **14**
Station Rd. S at H —2C **20**
Station Rd. Swan —4D **18**
Stedman Clo. Bex —3D **10**
Steele Av. Grnh —5G **5**
Stelling Rd. Eri —1C **2**
Stephen Rd. Bexh —3B **2**
Stephenson Av. Til —1K **7**
Sterndale Rd. Dart —7A **4**
Stevens Clo. Bex —4C **10**
Stevens Clo. Dart —5F **13**
Stock La. Dart —3H **11**
Stokesay Ct. Dart —6C 4
(off Grange Cres.)
Stokesay Ct. Dart —6C 4
(off Osborne Rd.)
Stonebridge Rd. N'fleet —5D **6**
Stonecroft Rd. Eri —1B **2**
Stonefield Clo. Bexh —3A **2**
Stonehill Woods Pk. Sidc —6A **10**
Stone Pl. Rd. Grnh —5F **5**
Stones Cross Rd. Swan —6B **18**
Stone St. Grav —6A **8**
Stonewood. Bean —3K **13**
Stoney Corner. Meop —4H **23**
Stornaway Strand. Grav —3E **16**
Stour Rd. Dart —3F **3**
Stow Ct. Dart —7D **4**
Strand Clo. Meop —7K **23**
Strawberry Fields. Swan —1D **18**
Street, The. Ash —5H **25**
Street, The. Hort K —4C **20**
Street, The. Shorne —5K **17**
Strickland Av. Dart —3A **4**
(in two parts)
Struttons Av. Grav —2J **15**
Stuart Clo. Swan —7E **10**
Stuart Mantle Way. Eri —1D **2**
Stuart Rd. Grav —6K **7**
Studios, The. New Ash —2J 25
(off Row, The)
Studley Cres. Long —2F **23**
Suffolk Rd. Dart —6K **3**
Suffolk Rd. Grav —6C **8**
Sullivan Clo. Dart —6G **3**
Sullivan Rd. Til —1K **7**
Summerhill Rd. Dart —7J **3**
Summerhouse Dri. Bex & Dart —4C **10**
Suncourt. Eri —2E **2**
Sundridge Clo. Dart —6B **4**
Sun Hill. Fawk —3D **24**
Sun La. Grav —2B **16**
Sunning Hill. Grav —2H **15**
Sun Rd. Swans —6C **6**
Sussex Rd. Dart —7B **4**
Sutherland Clo. Grav —2G **17**
Swaisland Dri. Dart —5E **2**
Swaisland Rd. Dart —6G **3**
Swaledale Rd. Dart —1D **12**
Swale Rd. Dart —4F **3**
Swallow Clo. Grnh —5G **5**
Swallowfields. Grav —3H **15**
Swanbridge Rd. Bexh —1A **2**
Swan Bus. Pk. Dart —4J **3**
Swan La. Dart —7E **2**
Swanley By-Pass. Swan —1A **18**
Swanley Cen. Swan —3D **18**
Swanley La. Swan —3E **18**
Swanley Village Rd. Swan —1G **19**
Swanscombe Bus. Cen. Swans —5B **6**
Swanscombe St. Swans —7B **6**
Swanton Rd. Eri —1A **2**
Swan Yd. Grav —6A **8**
Sweyne Rd. Swans —6B **6**
Sweyn Rd. Grnh —5K **5**
Swiller's La. Shorne —5K **17**
Swinburne Gdns. Til —2A **8**
Sycamore Clo. Grav —7C **8**
Sycamore Dri. Swan —3D **18**
Sycamore Rd. Dart —1J **11**
Sydney Rd. Til —2K **7**
Symonds Clo. W King —5B **24**

Tallents Clo. S at H —7C **12**
Tamesis Strand. Grav —5D **16**
Tanyard Cotts. Shorne —7K **17**
Tanyard Hill. Shorne —6K **17**
Tanyard La. Bex —7A **2**
Tates Orchard. Long —6C **22**
Taunton Clo. Bexh —2C **2**
Taunton Rd. Grav —5D **6**
Taunton Vale. Grav —3C **16**
Teardrop Ind. Est. Swan —5G **19**
Teesdale Rd. Dart —1D **12**
Templars Ct. Dart —5B **4**
Temple Hill. Dart —6A **4**
Temple Hill Sq. Dart —5A **4**
Templer Dri. Grav —5K **15**
Tennants Row. Til —2H **7**
Tennyson Rd. Dart —5B **4**
Tennyson Wlk. Grav —3G **15**
Tennyson Wlk. Til —2A **8**
Tensing Av. Grav —3H **15**
Terence Clo. Grav —1E **16**
Terraces, The. Dart —7D **4**
Terrace St. Grav —6A **8**
(in two parts)
Terrace, The. Grav —6A **8**
(in three parts)
Thackeray Av. Til —1A **8**
Thames Ga. Dart —5B **4**
Thames Rd. Dart —2E **2**
Thames Way. Grav —1G **15**
(in two parts)
Thanet Ho. Grav —1J **15**
Thatcher Ct. Dart —7J **3**
Thelma Clo. Grav —5E **16**
Third Av. Grav —1H **15**
Thirlmere Rd. Bexh —1B **2**
Thirza Rd. Dart —6A **4**
Thistledown. Grav —6C **16**
Thistle Rd. Grav —7D **8**
Thomas Dri. Grav —2C **16**
Thomas's Av. Grav —1A **16**
Thong La. Grav —4E **16**
Three Corners. Bexh —2A **2**
Three Gates Rd. Fawk —1D **24**
Thrift, The. Bean —3K **13**
Thurrock Pk. Way. Til —1G **7**
Tilbury Gdns. Til —4K **7**
Tilbury Hotel Rd. Til —4K **7**
Tile Kiln La. Bex —2B **10**
(in two parts)
Till Av. F'ham —7A **20**
Tillet Pl. Til —1A **8**
Tilmans Mead. F'ham —7B **20**
Tivoli Gdns. Grav —1A **16**
Tollgate Rd. Dart —7E **4**
Tooley St. Grav —7G **7**
Top Dartford Rd. Swan & Dart —7E **10**
Toronto Rd. Til —2K **7**
Torrens Wlk. Grav —5D **16**
Tower Clo. Grav —5D **16**
Tower Rd. Bexh —4A **2**
Tower Rd. Dart —6H **3**
Towers Wood. S Dar —1E **20**
Townfield Corner. Grav —1B **16**
Tradescant Dri. Meop —6K **23**
Trafalgar Rd. Dart —2K **11**
Trafalgar Rd. Grav —7K **7**
Trebble Rd. Swans —6B **6**
Tredegar Rd. Dart —2F **11**
Treetops. Grav —5A **16**
Trevelyan Clo. Dart —4A **4**
Trevithick Dri. Dart —4A **4**
Trinity Rd. Grav —7B **8**

Trivett Clo. Grnh —5H **5**
Trosley Av. Grav —2A **16**
Trunks All. Swan —2A **18**
Truro Rd. Grav —3C **16**
Tudor Clo. Dart —6G **3**
Tudor Clo. N'fleet —1H **15**
Tufnail Rd. Dart —6A **4**
Turnbull Clo. Grnh —7F **5**
Turner Ct. Dart —5H **3**
Turner Rd. Bean —3J **13**
Turners Oak. New Ash —3H **25**
Turnstone. Long —3D **22**
Turnstones, The. Grav —2C **16**
Twigg Clo. Eri —1D **2**
Tyler Gro. Dart —4A **4**
Tylers Grn. Rd. Swan —6B **18**
Tynedale Clo. Dart —1E **12**

Unicorn Wlk. Grnh —5G **5**
University Pl. Eri —1B **2**
University Way. Dart —4H **3**
Upper Av. Grav —1H **23**
Up. Church Hill. Grnh —5F **5**
Upper St. N. New Ash —2J 25
(off Row, The)
Upper St. S. New Ash —2J 25
(off Row, The)

Valence Rd. Eri —1C **2**
Vale Rd. Dart —1G **11**
Vale Rd. N'fleet —7G **7**
Valley Clo. Dart —6E **2**
Valley Dri. Grav —4C **16**
Valley Rd. Dart —6E **2**
Valley Rd. Fawk —1D **24**
Valley View. Grnh —6J **5**
Valley View. Ter. F'ham —7A **20**
Vanessa Wlk. Grav —5E **16**
Vanessa Way. Bex —3C **10**
Vanquisher Wlk. Grav —3E **16**
Vauxhall Clo. Grav —7J **7**
Vauxhall Pl. Dart —7K **3**
Venners Clo. Bexh —2D **2**
Vernon Clo. W King —7C **24**
Vernon Rd. Swans —6C **6**
Verona Gdns. Grav —4D **16**
Viaduct Ter. S Dar —2D **20**
Via Romana. Grav —1G **17**
Vicarage Ct. Grav —1F **17**
Vicarage Dri. Grav —6F **7**
Vicarage La. Grav —2F **17**
Vicarage Rd. Bex —1A **10**
Victoria Av. Grav —7A **8**
Victoria Dri. S Dar —2E **20**
Victoria Hill Rd. Swan —1E **18**
Victoria Pk. Ind. Est. Dart —5K **3**
Victoria Rd. Dart —5J **3**
Victoria Rd. Grav —1J **15**
Victoria Scott Ct. Dart —3D **2**
Vigilant Way. Grav —5E **16**
Viking Rd. Grav —3F **15**
Viking Way. W King —5B **24**
Villa Clo. Grav —2G **17**
Villa Ct. Dart —2K **11**
Village Grn. Rd. Dart —4F **3**
Virginia Wlk. Grav —6C **16**
Vyne, The. Bexh —3A **2**

Wadard Ter. Swan —5H **19**
Waid Clo. Dart —6A **4**
Wakefield St. Grav —6A **8**
Waldeck Rd. Dart —7A **4**
Walker Clo. Dart —3E **2**
Walkley Rd. Dart —5G **3**
Wallace Gdns. Swans —6B **6**
Wallers. New Ash —3J **25**
Wallhouse Rd. Eri —1G **3**
Wallis Clo. Dart —3E **10**
Wallis Pk. Grav —5E **6**
Walnut Hill Rd. Grav —3H **23**
Walnut Tree Av. Dart —2K **11**
Walnut Tree Way. Meop —6K **23**
Walnut Way. Swan —2C **18**
Waltham Clo. Dart —6F **3**
Wansbury Way. Swan —5F **19**
Wansunt Rd. Bex —1B **10**
Wardona Ho. Swans —6C **6**
Wardour Ct. Dart —6C 4
(off Bow Arrow La.)
Wardour Ct. Dart —6C 4
(off Grange Cres.)
Warland Rd. W King —7C **24**
Warren Clo. Bexh —5A **2**
Warren Hastings Ct. Grav —6J 7
(off Pier Rd.)
Warren Rd. Dart —3K **11**
Warren Rd. S'fleet —5E **14**
Warrens, The. Hart —6C **22**
Warren, The. Grav —4D **16**
Warren View. Shorne —5K **17**
Warrior Av. Grav —4B **16**
Warwick Ct. Eri —1E **2**
Warwick Ho. Swan —4D **18**
Warwick Pl. Grav —5E **6**
Watchgate. Dart —5E **12**
Waterdales. Grav —1G **15**
Waterhead Clo. Eri —1D **2**
Waterloo St. Grav —7B **8**
Water Mill Way. S Dar —2C **20**
Waterside. Dart —5D **2**
Waterton Av. Grav —7D **8**
Watling St. Bexh —4A **2**
Watling St. Dart & Grav —7B **4**
Watson Clo. Grays —1H **5**
Waylands. Swan —4E **18**
Wayville Rd. Dart —7C **4**
Way Volante. Grav —4D **16**
Weald Clo. Grav —7H **15**
Weardale Av. Dart —2D **12**
Weavers Clo. Grav —1K **15**
Weavers Orchard. S'fleet —6D **14**
Weird Wood. Long —3F **23**
Weir Rd. Bex —7A **2**
Wellcome Av. Dart —4K **3**
Well Field. Hart —4C **22**
Wellington Rd. Dart —6H **3**
Wellington Rd. Til —2K **7**
Wellington St. Grav —7B **8**
Wentworth Clo. Grav —5K **15**
Wentworth Dri. Dart —6F **3**
Wenvoe Av. Bexh —2A **2**
Wessex Dri. Eri —2D **2**
Westcott Av. Grav —3K **15**
Westcourt La. Grav —1E **16**
Westcourt Pde. Grav —3E **16**
West Cres. Rd. Grav —6A **8**
Western Cross Clo. Grnh —6K **5**
Westfield. New Ash —3J **25**
Westfield Clo. Grav —5B **16**
Westfield Rd. Bexh —3B **2**
Westgate Rd. Dart —6J **3**
(in two parts)
Westharold. Swan —3C **18**
W. Heath Clo. Dart —6E **2**
W. Heath Rd. Dart —6E **2**
West Hill. Dart —6H **3**
Westhill Clo. Grav —1A **16**
W. Hill Dri. Dart —6H **3**
W. Hill Rise. Dart —6J **3**
W. Holme. Eri —1B **2**
W. Kent Av. Grav —6F **7**
W. Kingsdown Ind. Est. W King —7B **24**
West Mill. Grav —6J **7**
West Shaw. Long —2A **22**
West St. Grav —6K **7**
W. View Rd. Crock —6C **18**
W. View Rd. Dart —6A **4**
W. View Rd. Swan —4F **19**
Westwood Rd. S'fleet —7B **14**
W. Yoke Rd. New Ash —3H **25**
Wetsted La. Swan —7F **19**
Wharfedale Rd. Dart —1D **12**
Wharf Rd. Grav —6D **8**
Wheatley Clo. Grnh —5H **5**
Whenman Av. Bex —2B **10**
Whinfell Way. Grav —4E **16**
Whitby Clo. Grnh —5H **5**
White Av. Grav —3J **15**
Whitecroft. Swan —2D **18**
Whitegates Av. W King —6B **24**
Whitehall La. Eri —2E **2**
Whitehall Pde. Grav —3C **16**
Whitehead Clo. Dart —3H **11**
Whitehill La. Grav —3B **16**
Whitehill Rd. Dart —5F **3**
Whitehill Rd. Grav —2B **16**
Whitehill Rd. Long —2A **22**
White Oak Ct. Swan —3D **18**
White Post Hill. F'ham —7B **20**
White Post La. Meop —4K **23**
Whites Clo. Grnh —6K **5**
Wickhams Way. Hart —5C **22**
Wicksteed Clo. Bex —3C **10**
Wilberforce Way. Grav —5C **16**
Wilde Clo. Til —2B **8**
Wilfred St. Grav —6A **8**
Wilkinson Clo. Dart —4A **4**
William Ho. Grav —7A **8**
William St. Grav —7A **8**
Willow Av. Swan —4E **18**
Willow Rd. Dart —1H **11**
Willow Rd. Eri —1F **3**
Willow Wlk. Dart —4H **3**
Wilmington Ct. Rd. Dart —3F **11**
Wilmot Rd. Dart —5F **3**
Wilson La. S Dar —2G **21**
Wiltshire Clo. Dart —7E **4**
Winchester Cres. Grav —3C **16**
Windermere Clo. Dart —1G **11**
Windermere Rd. Bexh —2B **2**
Windhover Way. Grav —4D **16**
Windmill St. Grav —6A **8**
(in two parts)
Windsor Dri. Dart —6F **3**
Windsor Rd. Grav —3A **16**
Wingfield Bank. N'fleet —2F **15**
Wingfield Rd. Grav —1A **16**
Winifred Rd. Dart —5G **3**
Winston Clo. Grnh —6G **5**
Winters Croft. Grav —6C **16**
Winton Ct. Swan —4D **18**
Wise's La. Stans —7G **25**
Wisteria Gdns. Swan —2C **18**
Wolsley Clo. Dart —5D **2**
Wombwell Gdns. Grav —2H **15**
Woodberry Gro. Bex —3C **10**
Wood Clo. Bex —3D **10**
Woodfall Dri. Dart —4D **2**
Woodfield Av. Grav —1A **16**
Woodgers Gro. Swan —2E **18**
Woodland Av. Hart —5C **22**
Woodland Clo. Long —3F **23**
Woodlands Clo. Swan —2E **18**
Woodlands La. Shorne —7J **17**
Woodlands Pk. Bex —4C **10**
Woodlands Rise. Swan —2E **18**
Woodlands Ter. Swan —6A **18**
Woodland Way. Grnh —5J **5**
Wood La. Dart —4E **12**
Woodman Vs. Fawk —3E **24**
Woodmount. Swan —7C **18**
Woodside Clo. Bexh —4C **2**
Woodside Dri. Dart —4D **10**
Woodside Rd. Bexh —4C **2**
Wood St. Swan —2H **19**
Woodview Clo. W King —6B **24**
Woodview Rd. Swan —2B **18**
Woodville Pl. Grav —7A **8**
Woodward Ter. Grnh —6F **5**
Woolf Wlk. Til —2B **8**
Woolwich Rd. Bexh —3A **2**
Worcester Clo. Grav —7J **15**
Worcester Clo. Grnh —4J **5**
Wordsworth Clo. Til —2B **8**
Wordsworth Way. Dart —4B **4**
Wrens Croft. Grav —4H **15**
Wren Wlk. Til —1A **8**
Wright Clo. Swans —6A **6**
Wrotham Rd. Meop & Grav —3J **23**
Wyatt Rd. Dart —3E **2**
Wycliffe Ho. Grav —1J 15
(off Wycliffe Row)
Wycliffe Houses. Grav —2A **16**
Wycliffe Row. Grav —1J **15**
(in two parts)
Wye Rd. Grav —2C **16**
Wyvern Clo. Dart —7H **3**

Yews, The. Grav —1C **16**
Yew Tree Clo. Long —2G **23**
York Rd. Dart —7A **4**
York Rd. Grav —3B **16**
York Rd. N'fleet —7G **7**
York Ter. Eri —1B **2**

Zion Pl. Grav —7A **8**